D0314477

1995

CONSEIL DE LA SCULPTURE DU QUÉBEC

Édition :
Conseil de la sculpture du Québec

Production :
Productions de la Canoterie inc

Conception graphique et infographie :
André Vigneault

Comité de travail :
Sylvie Cameron, Carolle Desjardins, Charlotte Gingras, Ginette Mercier

Comité aviseur :
Pierryves Angers, Aurelio Sandonato

Révision des textes :
Janou Gagnon, Charlotte Gingras

Traduction et révision des textes anglais :
Louise Bianchi

Dépôt légal : 3e trimestre 1994
Bibliothèque Nationale du Québec,
Bibliothèque Nationale du Canada
ISBN : 2 - 920575 - 15 - 5

Conseil de la sculpture du Québec
911, rue Jean-Talon Est
Bureau 306
Montréal (Québec)
H2R 1V5
Téléphone : (514) 270-7209
Télécopieur : (514) 270-4623

Le Conseil de la sculpture du Québec est un organisme sans but lucratif fondé en 1962. Son financement au fonctionnement est assuré par les cotisations de ses membres et par les subventions du Conseil des arts et des lettres du Québec.

Imprimé au Canada

TABLE DES MATIÈRES
TABLE OF CONTENTS

Remerciements
Acknowledgements

Le Conseil de la sculpture du Québec remercie les institutions et les artistes qui ont permis, grâce à leur soutien, la réalisation de ce répertoire :

The Conseil de la sculpture du Quebec thanks all of the institutions and artists who, because of their support, allowed the production of the directory.

Les artistes membres

Patrimoine canadien, Canada

Le ministère de la Culture et des Communications, Québec

Le Conseil des arts et des lettres du Québec

Le ministère du Développement des ressources humaines, Canada

Le centre Travail-Québec St-Michel du ministère de la sécurité du Revenu

UN MOT DU PRÉSIDENT
A WORD FROM THE PRESIDENT

C'EST AVEC PLAISIR QUE LE CONSEIL DE LA SCULPTURE VOUS PRÉSENTE SON *RÉPERTOIRE DES SCULPTEUR(E)S* DE L'ANNÉE 1995.

OUTIL SIMPLE, PERMETTANT D'ÉTABLIR UN CONTACT DIRECT AVEC L'ARTISTE, CE RÉPERTOIRE RAPPELLE L'IMPORTANCE DE LA CONTRIBUTION DES SCULPTEUR(E)S À NOTRE ENVIRONNEMENT ET À NOTRE QUALITÉ DE VIE.

PRATIQUE DIFFICILE ENTRE TOUTES, LA SCULPTURE CONSTITUE AUJOURD'HUI UN VÉRITABLE DÉFI. DE REVENDICATIONS DE GROUPE POUR LA SURVIE DE LA DISCIPLINE AUX LUTTES EN SOLITAIRE POUR LA MAÎTRISE DE LEUR ART, LES SCULPTEUR(E)S PRENNENT LE RISQUE DE LA CRÉATION, N'AYANT POUR BALISE QUE DES IDÉAUX TOUJOURS PLUS GRANDS. PAR CET ENGAGEMENT, ILS POUSSENT PLUS LOIN LES LIMITES DE NOTRE IMAGINAIRE COLLECTIF.

À VOUS LA JOIE DE DÉCOUVRIR LEUR TRAVAIL.

IT IS WITH GREAT PLEASURE THAT THE COUNCIL OF SCULPTURE PRESENTS ITS *1995 DIRECTORY.*

THIS DIRECTORY PUTS US IN DIRECT CONTACT WITH THE SCULPTORS AND REMINDS US OF THEIR IMPORTANT CONTRIBUTION TO OUR ENVIRONMENT AND QUALITY OF LIFE.

SCULPTURE, A MOST DIFFICULT EXERCISE, CONSTITUTES A VIRTUAL CHALLENGE THESE DAYS. FROM THE GROUP'S VINDICATING THE VERY SURVIVAL OF THIS EXERCISE, TO THEIR SINGULAR FIGHT FOR THE MASTERY OF THEIR ART, THESE SCULPTORS TAKE THE RISKS OF CREATIVITY, THEIR ONLY GUIDELINE BEING GREATER IDEALS.

IN DOING THIS, THEY PUSH THE LIMITS OF OUR COLLECTIVE IMAGINATION EVEN FURTHER AND FURTHER.

HOW, IT IS FOR YOU TO DISCOVER THEIR WORK !

Pierryves Angers

PIERRYVES ANGERS
PRÉSIDENT

Quelques mots d'histoire...
A few historical notes

Les préliminaires

En 1959, quelques sculpteurs inquiets et mécontents se réunissent. Leur but : sortir de l'isolement et conjuguer leurs efforts afin que leur discipline, ignorée du public et négligée par le milieu artistique, soit reconnue à sa juste valeur. De plus, ils estiment qu'il est urgent de s'attaquer aux problèmes relevant spécifiquement de la sculpture comme la sécurité au travail, les coûts énormes de production, les questions de négociations en regard de l'art public, etc. Ils sont particulièrement préoccupés par le statut socioéconomique du sculpteur et par la précarité de sa survie. Tous s'entendent sur un point : au Québec, ce sont les peintres, choyés par les jurys et la critique, qui tiennent le haut du pavé dans le milieu des arts visuels.

C'est ainsi qu'en 1962, grâce principalement au travail d'Yves Trudeau et à celui des membres-fondateurs, Mario Bartolini, Yvette Bisson, Jean-Pierre Boivin, Jacques Chapdelaine, Rolland Dinel, Stanley Lewis, Ethel Rosenfield, Hans Schleeh et Gaétan Therrien, naît, dans l'effervescence de la Révolution tranquille, l'Association des Sculpteurs du Québec (ASQ).

Le contexte socioculturel

« Quoi, on pouvait imaginer, penser ouvertement, être ou non en accord avec les autorités ? »
Jean-Claude Robert

Ce n'est pas un hasard si une telle association apparaît à ce moment singulier de l'histoire du Québec. On pourrait croire

A preview

In 1959, a few restless and dissatisfied sculptors got together. Their objective was to get out of isolation and combine efforts to gain recognition from a disinterested public and artistic milieu which had, until then, completely neglected them. Moreover, they consider that it is urgent to attack specific problems particular to sculpture such as work safety, enormous production costs, negotiation problems in the field of public art. They are particularly taken up with the socio-economic status of the sculptor and his very survival. They all agree on one point, in Quebec, it is the painters who monopolize the attention of the critics and juries that are held in the highest esteem in the visual arts field.

So it is that, in 1962, notably because of the efforts of Yves Trudeau and the co-founders Marco Bartolini, Yvette Bisson, Jean Pierre Boivin, Jacques Chapdelaine, Roland Dinel, Stanley Lewis, Ethel Rosefield, Hans Schleeh and Gaetan Therrien, that the Association des Sculpteurs du Québec (ASQ) is born in the stirrings of the quiet Revoltion.

The socio-cultural context

" Can you imagine thinking openly, agreeing or not with the authorities ? "
Jean-Claude Robert

It is not by accident that such an association should be born at this particular moment in Quebec's history. It is as though Bordua's " Refus Global ", this admirable call for liberation in 1950, comes to fruition ten years later.

que le Refus global de Borduas, cet admirable appel à la liberté paru en 1950 dans les années dites « de noirceur », prend, dix ans plus tard, toute sa signification.

Avec la fin de l'ère duplessiste, les vieilles structures éclatent ; la province se modernise, s'enthousiasme et découvre le monde... En l'espace de quelques années, on assiste à des changements accélérés : le nouveau gouvernement met sur pied la réforme du système d'enseignement, l'aide sociale devient responsabilité de l'État, et on sent la volonté, de la part des dirigeants, d'une plus grande démocratisation. D'autre part, la montée d'un nouveau nationalisme n'est plus rattachée aux valeurs de la religion catholique, et on assiste même aux premières manifestations d'un mouvement extrémiste, le Front de la libération du Québec. Enfin, les citoyens gagnent de mieux en mieux leur vie, le mouvement des femmes commence à poindre, la population est jeune et croit qu'elle peut nourrir toutes ses ambitions, accéder à tous ses désirs. Le Québec, en pleine adolescence, connaît une transformation irrésistible.

Dans l'ensemble du milieu culturel, une créativité longtemps contenue se déploie, tant chez les artistes que chez les responsables des institutions culturelles. Le Québec, dans son désir de rapprochement avec la France, inaugure à Paris sa Délégation générale en 1961. Le ministère des Affaires culturelles est fondé en 1962. Des sommes considérables, issues des divers paliers gouvernementaux, sont mises à la préparation d'Expo 67. Dans le milieu des arts visuels, on inaugure, en 1964, le Musée d'art contemporain. Les artistes, pour leur part, manifestent un grand désir de sortir du pays, d'exposer à l'étranger.

With the end of the Duplessis era, the old structures collapse ; the province modernizes, and enthusiastically discovers the world... In the space of a few years, rapid changes take place ; the new government sets up reforms in the teaching system, welfare becomes a responsability of the province and there is a push on the part of the leaders toward a greater democratization. On the other hand, the rise of a new nationalism is no longer centred around the Catholic religion and we see the beginnings of an extremist movement in the Front de la Libération du Québec. At last, people start earning larger incomes, the feminist movement starts to take hold, the population is young and thinks it can feed all its ambitions and aspire to all its desires. Quebec is now fully adolescent and undergoes an irresistable transformation.

Within the cultural community, a creativity, which has long been restrained, bursts out, as much amongst the artists as amongst the directors of cultural institutions. Quebec, desirous of closer ties with France, inaugurates its Délégation Générale in Paris in 1961. The department of Cultural Affairs is opened in 1962. Considerable sums of money, from different government levels, are poured into the preparation of EXPO '67. In the visual arts field, the Museum of Contemporary Art is inaugurated in 1964. Many artists express a desire to exhibit in foreign countries.

In the domain of sculpture, great strides are taken in the sixties: a first international sculpture symposium is organized in Montreal on Mount Royal in 1964 and would be followed in 1965 by a symposium on the Plains of Abraham in Quebec City, by another in the Museum of Contemporary Art and then by a national symposium in Alma.

En ce qui concerne la sculpture, la discipline va prendre, pendant les années soixante, un essor exceptionnel : un premier *Symposium international de sculpture* est organisé à Montréal sur le mont Royal en 1964 et sera suivi, en 1965, par un symposium sur les Plaines d'Abraham à Québec, par un autre au Musée d'art contemporain et par un symposium national à Alma.

Les débuts de l'Association des Sculpteurs : une énergie bouillonnante

« L'ASQ s'est insérée dans le champ artistique par deux types d'activités : l'une concernant surtout la diffusion de l'art dans le but d'assurer la promotion de la sculpture ; l'autre, les actions de revendications dont l'objectif est de défendre les droits du sculpteur. »
Francine Couture

La plupart des membres de l'ASQ sont jeunes, dynamiques, ils veulent s'affirmer et ils sont majoritairement des hommes. Une synergie, provoquée par un entendement commun et le désir de travailler et de lutter ensemble, crée au sein de l'association naissante un lieu de camaraderie et d'amitié. On pense ici au rôle de catalyseur d'un Pierre Heyvaert, par exemple, et de combien d'autres...

Tout est à faire. Dès l'obtention de la charte en 1962, on s'active fiévreusement au sein de l'organisme : très rapidement les efforts mis en œuvre pour la promotion de la sculpture portent fruits. La première exposition annuelle est organisée à la galerie de l'Étable du Musée des Beaux-Arts en 1963 et laisse présager de multiples collaborations avec divers partenaires du milieu. À cette époque des commencements, on peut même affirmer que l'organisme jouit de la considération des dirigeants politiques.

Les membres veulent réunir, sous la même bannière et sans discrimination, tous

The beginnings of the sculptors' association : new energy

" The ASQ penetrated the artistic field in two ways, one, concerning the diffusion of this art with a view to promoting sculpture, and the other, vindicating the rights of sculptors. "
Francine Couture

Most of the ASQ members are young, dynamic, positive and mostly men. A synergy, grown out of a common understanding to work and fight together, creates within the young association an atmosphere of friendship and warmth. Here, we see the role of catalyst in Pierre Heyvaert, for example and many others...

Much has to be done. From the moment the charter is obtained in 1962, they work at fever pitch. Very rapidly, their effort to promote sculpture bears fruit. The first annual exhibition is organized at the Stable Gallery of the Museum of Fine Arts in 1963, foreseeing possible connections with other partners in the same field. In these early beginnings, the organization enjoyed great respect from the political leaders.

Now the members want to unite all styles of sculpture without discrimination. With this thinking in mind, the ASQ organizes, in 1965, the exhibition *Trajectoires* at the Stable Gallery for young non-member sculptors.

The annual exhibition, which is called *Confrontation*, held at the Botanical Gardens in 1965, brings together the works of members and those of eleven young sculptors from the Paris school. In 1966, the event welcomes a group of sculptors from Ontario. In 1967, as well as Confrontation, the sculptor members exhibit at Terre des Hommes.

les styles en sculpture. C'est dans ce sens que l'ASQ organise en 1965 l'exposition *Trajectoires* à la Galerie de l'Étable, réservée aux jeunes sculpteurs non-membres.

L'exposition annuelle, sous l'appellation *Confrontation,* réunit au Jardin Botanique en 1965 les œuvres des membres et celles de onze jeunes sculpteurs de l'École de Paris. En 1966, l'événement accueille cette fois des sculpteurs ontariens. En 1967, en plus de *Confrontation,* les sculpteurs membres exposent à Terre des Hommes.

En parallèle à ces activités de diffusion, l'ASQ mène des actions de défense du droit des sculpteurs : on peut dire que de ce côté, une immense tâche attend la toute neuve association...

En 1965, le symposium d'Alma se termine en véritable catastrophe pour les sculpteurs participants, tous membres de l'Association (Marc Boisvert, Jacques Chapdelaine, André Fournelle, Jean Gauguet-Larouche, Peter Gnass, Raymond Mitchell). Dès la fin de l'événement, les sculptures sont démantelées, l'une d'entre elles est carrément brisée et jetée au fond d'un ravin. Rien de bien nouveau dans le monde de la sculpture, peut-être. Mais cette fois, les sculpteurs, réunis par une volonté commune, réagissent et intentent une poursuite contre la municipalité. Cette lutte, qui s'étale sur plusieurs années, se solde par un échec : le juge rejettera les actions intentées par les six sculpteurs, invoquant que ces derniers avaient cédé leur droit d'auteur....

Cette malheureuse affaire oblige l'ASQ à se pencher sur un essai de réglementation des symposiums. Elle conçoit un contrat-type et cherche à s'affirmer comme représentant des sculpteurs dans l'organisation de ce genre d'événement. L'Association

Along with these activities, the ASQ carries on with its defence of sculptor's rights. It is evident that an enormous work load burdens this new organization.

In 1965, the Alma Symposium ends catastrophically for the participating sculptors, all members of the association (Marc Boisvert, Jacques Chapdelaine, André Fournelle, Jean Gauguet-Larouche, Peter Gnass, Raymond Mitchell). As soon as the event closes, the sculptures are dismantled and one of them is broken and thrown into a ravine. This is nothing new in the world of sculpture. But this time the sculptors, united, acting together, sue the municipality. This battle, which lasts several years, ends in failure : the judge rejects the pleas of the six sculptors, maintaining that they had surrendered their copyrights...

This unfortunate incident forces the ASQ to regulate their symposia from here on. It draws up an agreement with a view to protecting the sculptors in such events. The association presents their specifications to the concerned agencies and demands that the law of 1% be applicable to sculpture-architecture integration in all new government buildings.

In reaching out abroad, a number of contacts are made in France, Belgium and the United States. In 1966, the members participate in the prestigious *Biennale de la sculpture contemporaine* in Paris. Several years later, the ASQ plays an active role in the setting up of Canadian participation at the Basel Fair which would take place in 1972.

In the interest of informing the artistic milieu as well as the general public, the association publishes, in the early seventies, several booklets on the member sculptors. At that same time, it envisages some travelling exhibitions in collaboration with the Department of Cultural Affairs.

présente des mémoires et fait des représentations auprès des instances concernées, exige aussi que soit appliquée la loi du 1% concernant les œuvres d'intégration à l'architecture pour tout nouvel édifice gouvernemental.

En ce qui concerne la diffusion à l'étranger, de nombreuses démarches sont entreprises en France, en Belgique et aux États-Unis. En 1966, les sculpteurs membres participent à la prestigieuse *Biennale de la sculpture contemporaine*, à Paris. Quelques années plus tard, l'ASQ prend une part active dans l'élaboration et la mise sur pied de la participation canadienne à la foire de Bâle, qui se tiendra en 1972.

Toujours dans le souci de diffuser et de renseigner le milieu et le public en général, on publie, au début des années soixante-dix, plusieurs monographies de sculpteurs membres. À la même époque, l'organisme crée des expositions itinérantes en collaboration avec le ministère des Affaires culturelles.

Enfin on inaugure, à la même époque, un vaste local où l'on peut réunir dans un même lieu un centre de documentation, les dossiers des artistes, des services de photocopie, etc. On y ouvre la galerie *Espace*, vouée à la diffusion de la sculpture sous toutes ses formes. On se rappelle encore du local de la rue Sanguinet comme d'un lieu de diffusion, certes, mais surtout d'un lieu vivant, animé de discussions passionnées, et où l'on organise des événements de toutes sortes.

L'ASQ travaille en collaboration avec d'autres organismes et prend part activement au mouvement général de réflexion et d'action menée par les associations disciplinaires. Au début des années soixante-dix, on débat dans le milieu la notion de travailleur culturel et celle du rôle social de

At last, in the early seventies, an office is opened where they can meet, where documents and artists' dossiers can be kept along with a photocopying machine, etc. There, they open the gallery Espace for the purpose of diffusing information about sculpture.

The Sanguinet Street office is still remembered as a diffision centre, but mainly as a place where many empassioned discussions took place and where all types of events were organized.

The ASQ collaborates with other organizations and plays an active role in the thought and action movement controlled by disciplinary associations. In the early seventies, the notion of cultural worker and that of the social role of the artist is debated. The question is asked if all artists should unite under one movement.

It is in this climate that *Opération-Déclic*, in 1968, unites artists of all disciplines. An attempt is made to define the artist's social status and to consider a global policy on the arts. A need for more general solidarity is felt in this artistic milieu and it is at this encounter that the idea of a Fédération de créateurs is put forward. In 1971, Le Comité de Relance des Arts Plastiques is formed from members of various artistic associations and this committee presents to the Department of Cultural Affairs a long list of recommendations in a document entitled Le Livre-Feu. The idea of a merger between disciplinary associations is coming to a head. The ASQ however, maintains a discreet distance.

The end of the beginning

" On Sanguinet Street, things were becoming more and more political "
Anonymous

The ASQ, in these times of questioning, appears to some to have more corporatist

l'artiste. On s'interroge, entre autres, sur la nécessité de réunir tous les artistes sous une bannière commune.

C'est ainsi que l'événement *Opération-Déclic*, dès 1968, réunit les artistes de toutes les disciplines : on tente de redéfinir le statut social de l'artiste et de réfléchir à une politique globale des arts. On sent le besoin d'une solidarité plus générale dans le milieu des artistes et on se rappelle que, lors de cette rencontre, l'idée d'une Fédération de créateurs est avancée. En 1971, on forme, à partir de membres des associations d'artistes, un Comité de Relance des Arts plastiques qui présente au ministère des Affaires culturelles une longue liste de recommandations réunies dans un document intitulé le **Livre-Feu**. L'idée de fusionner les associations disciplinaires est de plus en plus présente. À ce propos, l'ASQ garde une position prudente.

La fin d'un premier souffle

« Sur la rue Sanguinet, ça se politisait de plus en plus... »
Anonyme

L'Association des Sculpteurs, à cette époque de questionnement, apparaît pour certains comme ayant des préoccupations plutôt corporatistes et s'en trouve confrontée dans ses fondements idéologiques.

C'est ainsi qu'avec l'arrivée d'Armand Vaillancourt à la présidence, artiste chevaleresque qui porte avec passion les idéaux de gauche, l'association s'ouvre à d'autres réalités sociales. Les buts et objectifs de l'ASQ tels qu'exprimés dans la charte ne seront pas maintenus à la lettre. « En 1972, Vaillancourt (...) vient d'accepter la présidence de l'Association des sculpteurs du Québec et son plus grand désir immédiat, dit-il, est de créer le Front commun des Artistes du Québec ». **(Québec Underground)**

leanings and finds itself at odds with its basic ideals.

It is then, with the arrival of Armand Vaillancourt as president, a chivalrous artist with passionate leftist ideals, that the association is opened to other social realities. The ASQ objectives, as expressed in the charter, are not carried out to the letter. " In 1972, Vaillancourt (...) has just accepted the presidency of the ASQ and his most immediate wish, he says, is to create a Front Commun des Artistes du Québec " **(Québec Underground)**.

Le Front Commun des Travailleurs Culturels, with which the association is closely tied, organizes the États Généraux in 1973 which reopens the idea of a merger, the restructuring of ministerial programs, etc. But, the États Généraux falls through. A certain confusion sets in and, of course, the Department of Cultural Affairs grants a generous subsidy to the Société des Artistes Professionels more than to the disciplinary associations. The ASQ once again finds itself in an alarmingly precarious situation.

The exhibition of twelve sculptors in New Hampshire in the summer of 1974 appears to be one of the last for the ASQ. It was conceived as " The war cry by the Quebec sculptor to show his existence in this world and to expose his general condition " (Serge Gagné, open letter, La Presse, Thursday, August 8, 1974).

Another idea, *Les Chantiers de création*, which should assure the sculptors of an operational structure, also falls through. Moreover, the office of the association becomes increasingly overrun by the other community organizations, its objectives becoming compromised,and is no longer dedicated to the diffusion and defence of the sculptor's rights. From this confusion, things become chaotic. Finally, the ASQ,

Le Front commun des travailleurs culturels, auquel l'organisme est étroitement lié, organise des *États généraux* en 1973 qui reprennent l'idée de fusion, de restructuration des programmes du ministère, etc. Mais les *États généraux* ne semblent pas avoir de suite. Une certaine confusion s'installe et, chose certaine, le ministère accorde une généreuse subvention à la Société des Artistes professionnels plutôt qu'aux associations disciplinaires. L'ASQ se retrouve alors dans une situation de précarité alarmante.

L'exposition de douze sculpteurs au New Hampshire, à l'été 1974, semble une des dernières manifestations de diffusion de l'ASQ. Elle se veut « Le cri de guerre que lance le sculpteur québécois pour signifier son existence au monde et montrer sa condition ». (Serge Gagné, Lettre ouverte, **La Presse**, jeudi 8 août 1974)

Une autre idée, celle des *Chantiers de création*, qui devrait assurer une structure opérationnelle aux sculpteurs, n'a également pas de suite.

Par ailleurs, le local de l'association devient de plus en plus accaparé par certaines organisations communautaires, sa vocation s'en trouve bouleversée, n'est plus exclusivement vouée à la diffusion et à la défense des droits des sculpteurs. De la confusion, on passe au chaos.

Finalement L'ASQ, essoufflée, à bout de ressources économiques, épuisée par ses énergies divisées, ferme ses portes définitivement en 1974.

Le Conseil de la sculpture du Québec : la relève

Rapidement, les sculpteurs cherchent à se regrouper à nouveau, continuant d'affirmer que la spécificité de la discipline né-

breathless, penniless, exhausted by divisiveness, closes its doors for good in 1974.

Le Conseil de la sculpture du Québec : the new generation

Rapidly, the sculptors make efforts to regroup continuing to assert that the specificity of their discipline necessitates a distinct association, just as the painters and engravers believe, moreover, on their side. Laurent Tremblay, a patron of sculpture, generously welcomes the sculptors to his gallery on Marquette Street, allowing them to catch their breath and meet, assuring a transition from the defunct association to the newly regrouped project.

The informal meetings transform into a provisional committee which, as of 1977, is given a mandate to prepare the restructuring of the disciplinary councils.

The founding meeting of le Conseil de la Sculpture du Québec (CSQ) takes place in 1978, the new association taking over the goals and objectives of the ASQ. It is in a delicate socio-economic context that the CSQ attempts to reorganize and adapt itself. However, our political leaders are now more than ever concerned with giving a boost to the economy than to culture. They get farther and farther away from the spirit of the quiet Revolution and the hopes it inspired. The sculptors, who even during their highly active years never ceased to battle regardless of their precarious situation, must fight continuously for recognition of their rights and to show their work.

The CSQ regroups the sculptors of the first era, but also attracts new blood. On that score, we note that the profile of the sculptor has changed : in the eighties, women not only represent a larger proportion of the membership, but we find them more and more on the administrative coun-

cessite une association distincte, comme, de leur côté, le croient d'ailleurs les peintres ou les graveurs. Laurent Tremblay, un amateur de sculpture, accueille généreusement les sculpteurs à sa galerie de la rue Marquette, leur permettant de se rassembler et de reprendre leur souffle et assurant ainsi une transition entre la défunte association et le nouveau projet de regroupement.

Les rencontres informelles se transforment bientôt en un comité provisoire lequel, dès 1977, est chargé de préparer la restructuration des conseils disciplinaires.

L'assemblée de fondation du Conseil de la sculpture du Québec (CSQ) a lieu en 1978, la nouvelle association reprenant les buts et objectifs de l'ASQ. C'est dans un contexte socioéconomique chancelant que le CSQ tente de se réorganiser et de s'adapter. En effet, nos dirigeants politiques sont plus que jamais préoccupés de relance économique plutôt que de culture. On s'éloigne de plus en plus de l'esprit de la Révolution tranquille et des espoirs qu'elle faisait naître. Les sculpteurs qui, même pendant les années de grande vitalité qu'a connues la discipline, n'ont jamais cessé de se débattre dans la précarité doivent poursuivre sans relâche la lutte pour faire reconnaître leurs droits et diffuser leurs œuvres.

Le CSQ regroupe des sculpteurs de la première époque, mais attire aussi des énergies nouvelles. À cet égard, on remarque que le profil du sculpteur a changé : dans les années quatre-vingt, les femmes non seulement représentent une plus grande proportion du membership, mais on les retrouve siégeant de plus en plus sur les conseils d'administration et s'impliquant dans les comités bénévoles, lesquels sont en fait l'unique façon de mener à terme les projets de l'organisme.

cils and involved in volunteer committees, these being the only way of bringing the organization's projects to completion.

Above all, the association has to restructure and consolidate in order to get back the confidence of the moneylenders. The energy, as vibrant as ever, is more concentrated and channelled. Dominique Rolland, as president of the association, puts all his energy in these first years into the development of projects and structural reorganization.

The CSQ, after its involvement in the organization of the Chicoutimi Symposium, reaffirms the great necessity to promote sculpture as much as possible and revives in 1980 the annual event *Confrontation*. It commences the publication of the organization's Bulletin, an indispensable tool of information for the sculptor-members and which is to be published regularly under diverse names.

Regionalization is studied with an eye to enlisting sculptors from outside the city in the hopes of increasing potential membership. This prickly question of regionalization reappears periodically within the history of the council, the great distances and the lack of funds reducing the capacity to communicate with the sculptor community throughout Quebec. Continuing in the informative spirit, **Espace** is founded in 1981 with the idea that a specialized review would demonstrate the importance and vitality of sculpture. **Espace** would be the property of the CSQ until its restructuring and self-management in 1987 under the direction of Serge Fisette.

The years of realism

In 1982, Tatiana Démidoff-Séguin becomes president and coordinator of the CSQ. A true organizer, she shows great talent as a

L'association doit d'abord se restructurer et se consolider afin de redonner confiance aux bailleurs de fonds. Les énergies en place, toujours aussi vibrantes que par le passé, se précisent et se concentrent davantage. Dominique Rolland, en tant que président de l'association, œuvre en ce sens les premières années, mettant tout son dynamisme à concrétiser les projets et à réorganiser les structures.

Le CSQ, après son implication dans l'organisation du symposium de Chicoutimi, réaffirme la nécessité de diffuser la sculpture le plus largement possible et réanime, dès 1980, l'événement annuel *Confrontation.* On amorce la parution du Bulletin de l'organisme, outil d'information indispensable aux sculpteurs membres et qui sera publié régulièrement depuis sous diverses appellations. On s'interroge sur la régionalisation, cherchant à rejoindre les sculpteurs résidant hors de la métropole afin d'élargir le bassin des membres. Cette difficile question de la régionalisation revient périodiquement dans l'histoire du Conseil, les distances excessives et le manque de ressources freinant le désir de communication avec l'ensemble de la communauté des sculpteurs à travers le Québec. Toujours dans un esprit de diffusion, on fonde, en 1981, la revue **Espace** ; on croit qu'un instrument de qualité, telle une revue spécialisée, démontrera encore davantage l'importance et la vitalité de la sculpture. **Espace** sera la propriété du Conseil de la sculpture jusqu'à sa restructuration et son autogestion en 1987 sous la direction de Serge Fisette.

Des années de réalisme

À partir de 1982, Tatiana Démidoff-Séguin devient à la fois présidente et coordonnatrice du CSQ. Véritable femme-orchestre, elle réussit à s'affirmer comme excellente négociatrice et à rassembler la negotiator and is able to assemble the sculptor community's participation in large-scale events. During her term, the council decides to work in a more rational way, less poetic perhaps, but more realistic. The organization works relentlessly to enhance sculpture's social role.

The CSQ increases its efforts to vindicate the rights of its sculptors. As their spokesman, it participates at round tables, conferences and government commissions. The 1% becomes,once again, a priority to defend, because it is there that hope for funding and openings for the sculptors reside. Recommendations for this are made in 1982 in the paper *Dossier sculpture.* A paper on copyrights is also filed the same year and another on the socio-economic status of the sculptor is presented in 1986. Finally, the difficult step toward the corporate world is attempted.

The annual event *Confrontation,* always presented outdoors in order to permit the showing of large-scale works, takes place from 1980 to 1985 either in the Botanical Gardens or at Terre des Hommes, attracting each time many visitors. In 1986, *Jeux d'espace* replaces *Confrontation,* and the exhibitors, breaking with tradition, would be selected by jury. A number of contacts are made with Europe in order to increase exposure on foreign soil ; the most brilliant production unquestionably being Quebec in 3-D, a travelling exhibition which would be presented in Paris, Lyon and Cannes before going on tour in Quebec.

At the end of the eighties, Louise Page, who takes over as president, leaves her mark as a vital force on the council. Services to the members are her priority. Tools to aid the sculptors in the advancement of his/her career are put forward. Numerous standard contracts as well as a code of ethics, an important reference and the first of its kind, are drafted.

communauté des sculpteurs dans des événements d'envergure. Pendant son mandat, le Conseil se dote d'une façon de faire plus rationnelle, moins poétique peut-être, mais plus réaliste. L'organisme travaille avec acharnement à inscrire la sculpture dans le corps social.

Le CSQ multiplie ses actions de revendications et de défense des sculpteurs : en tant que porte-parole, il participe aux tables rondes, colloques et commissions gouvernementales. Le 1% redevient une priorité à défendre, car là réside un espoir de revenus et de débouchés pour les sculpteurs. Des recommandations sont faites en ce sens en 1982 dans le mémoire *Dossier sculpture*. Un mémoire sur le droit d'auteur est également déposé la même année et un autre, cette fois sur le statut socio-économique du sculpteur, est présenté en 1986. Enfin, on tente un difficile rapprochement avec le monde des affaires.

L'événement annuel *Confrontation*, toujours présenté à l'extérieur pour permettre la diffusion d'œuvres de grand format, prend place, de 1980 à 1985, soit au Jardin Botanique, soit à Terre des Hommes, attirant chaque fois un grand nombre de visiteurs. En 1986, *Jeux d'espace* remplace *Confrontation* et les exposants, contrairement à la tradition, seront choisis par jury. Des contacts nombreux sont pris avec l'Europe dans le but de diffuser à l'étranger ; la réalisation la plus éclatante sera sans contredit *Québec en 3D*, exposition itinérante qui sera présentée à Paris, à Lyon et à Cannes avant de faire une tournée à travers le Québec.

À la fin des années quatre-vingt, Louise Page, qui prend la relève de la présidence, marque à son tour au sceau de sa grande vitalité les destinées du Conseil. On s'implique d'abord en faveur des services aux

The CSQ is solicited by government agencies to concur with them prior to revisions in the copyright law. The council advocates a Quebec law concerning the status of the artist, a law which brings about the formation of the Regroupement des artistes en arts visuels (RAAV) in 1989. While dealing with the recognition of the sculptor's status, the CSQ develops a major program.

1990, A productive year

" I would like to further the tradition of commissioning sculptures throughout the land, that sculpture becomes a permanent presence, that leaves a sociological and cultural feature with the inhabitants of the island of Montreal ".

Ninon Gauthier. Sculpture: Séduction '90 Un bilan, Revue Espace, vol. 7, n°1, 1990.

In the spring of 1988, the CSQ initiates an ambitious project aimed at the installation within the municipalities of the urban community (MUC) of a permanent circuit for large-scale sculptures. The sites targetted were public places that featured relaxation and the respect of nature. Two years later, *Sculpture : Séduction '90* is officially inaugurated. Sixteen huge sculptures, works by Marcel Barbeau, Germain Bergeron, Jean Jacques Besner, Jacques Carpentier, Charles Daudelin, Tatiana Démidoff-Séguin, André Fournelle, Gilles Larivière, Claude Millette, Octavian Olariu, Astri Reush, Robert Roussil, Guerino Ruba, Aurelio Sandonato, Dominique Valade et Catherine Widgery are installed over the entire territory.

Under the directorship of Janou Gagnon and within the jurisdiction of the board of directors, Sculpture : *Séduction '90 succeeds*, by a feat of strength in these wavering economic times, in establishing a real harmony between the CSQ, the government agencies, the city councils and private enterprise. This is accomplished keeping the artist and his work in focus.

membres. Des outils sont produits pour aider les sculpteurs à progresser dans leur carrière : de nombreux contrats-types ainsi qu'un code d'éthique, important ouvrage de référence, le premier du genre à être publié.

Le CSQ, toujours sollicité par les instances gouvernementales, s'investit aux réflexions précédant la révision de la loi fédérale sur le droit d'auteur. Le Conseil milite en faveur d'une loi québécoise sur le statut de l'artiste, loi qui entraînera la fondation du Regroupement des artistes en arts visuels (RAAV) en 1989. Tout en menant ces actions et ces réflexions liées à la reconnaissance du statut professionnel des sculpteurs, le CSQ élabore un projet majeur de diffusion.

1990, une année faste

« J'aimerais qu'on développe une tradition de commandes de sculptures sur tout le territoire, que la sculpture devienne une présence permanente, qu'on marque sociologiquement et culturellement la population de l'Île de Montréal. »
Ninon Gauthier. « Sculpture : Séduction '90 Un bilan » Revue Espace, vol. 7, N° 1, 1990.

Au printemps 1988, le CSQ met sur pied un projet ambitieux visant à implanter dans des municipalités de la Communauté urbaine de Montréal un parcours permanent de sculptures de grand format. Les sites pressentis : des lieux publics voués à la détente et au respect de la nature.

Deux ans plus tard, *Sculpture : Séduction '90* est inauguré officiellement : 16 sculptures monumentales, œuvres de Marcel Barbeau, Germain Bergeron, Jean-Jacques Besner, Jacques Carpentier, Charles Daudelin, Tatiana Démidoff-Séguin, André Fournelle, Gilles Larivière, Claude Millette, Octavian Olariu, Astri

And the future ?

" On the other hand, sometimes we are under the impression that we are alone up front pulling the plough. "
Louise Page, Bilan des Activités 88-89, Mot de la présidente.

The arrival of Pierryves Angers to the presidency in 1991 is accompanied by several contextual changes. During the eighties, the visual arts milieu diversified and Quebec is flooded with diffusion centres. On their side, the private galleries wage a losing battle in a shrinking market. As for the RAAV, it experiences a difficult beginning. In 1994, the depletion of public funding and the growth of activities sees pitched battles taking place for the obtainment of these public funds. Who will be the winner in this situation ? Will the artists be able to survive ? Warring factions between the specialists and those fighting for democratic rights split the milieu, sometimes at the heart and sometimes on the fringe, foreboding a victory without winners and without answering the real questions. Who creates art ? For whom do we create art ? Who lives from their art ? Who makes the decisions about art today ?

These days, contracts for the restoration of public monuments are repeatedly given to foreign companies, many sculptures left to fall into disrepair. Sculptors, many of whom are still poor, are asked to give works to support charitable causes. We seem to think that nothing can be taken for granted in Quebec. And yet, there is so much left to do...

This state of affairs not only justifies the existence of the CSQ, but obliges it to pursue its basic ideals. These are the ideals that rally the organization and give it the necessary energy and will to continue the work started more than thirty years ago. We must

Reush, Robert Roussil, Guerino Ruba, Aurelio Sandonato, Dominique Valade et Catherine Widgery sont implantées sur tout le territoire.

Sous la direction de Janou Gagnon et dans une structure parallèle relevant directement du conseil d'administration, *Sculpture: Séduction '90* réussit le tour de force d'établir, dans ces années à l'économie plus que chancelante, une concertation réelle entre le Conseil de la sculpture, les instances gouvernementales, les conseils de ville et l'entreprise privée. Et ce, en s'assurant que l'artiste et son œuvre occupent la première place.

Et l'avenir ?

« Par contre nous avons parfois l'impression d'être seuls en avant et de tirer sur la charrue. »
Louise Page, Bilan des activités 88-89, Mot de la présidente.

L'arrivée de Pierryves Angers à la présidence en 1991 accompagne les changements de contexte. Au cours des années quatre-vingt, le milieu des arts visuels s'est diversifié, et le Québec foisonne, en 1990, de centres de diffusion. De leur côté, les galeries privées livrent une bataille presque sans espoir au maigre marché de l'art. Quant au RAAV, né dans la controverse, il connaît des débuts difficiles.

En 1994, la raréfaction des ressources publiques et le foisonnement d'activités laissent entrevoir des guerres rangées pour l'obtention des fonds de l'État. Qui sera vainqueur dans cette histoire ? Les artistes y survivront-ils ? De guerres de spécialistes en luttes pour des droits démocratiques, des clivages bouleversent le milieu, parfois en son sein, parfois à sa marge, présageant des victoires sans gloire et ce, sans jamais répondre aux véritables questions. Qui fait de l'art ? Pour qui fait-on de l'art ? Qui vit de l'art ? Qui décide de l'art aujourd'hui ?

support this difficult art which is sculpture, make the talent of these artists be known, to make this art be loved as much and as widely as possible.

Acknowledgements

We are grateful to Monsieur Jean Dumont for reflections that helped in the drafting of this text.

Bibliography

COUTURE, Francine. L'Association des sculpteur du Québec 1961-1980, Montréal, Revue Protée, vol. 9 n°1, printemps 1981.

ROBERT, Guy. L'art du Québec depuis 1940, Montréal, Les Éditions La Presse, 1973, 501 pages.

BOISMENU, Gérard, MAILLOT, Laurent, ROUILLARD, Jacques. Le Québec en textes : Anthologie 1940-1986, Jean-Claude Robert, La Révolution tranquille, Montréal, Boréal, 1986, 615 pages.

Québec Underground, 10 ans d'art marginal au Québec, 1962-1972, Tome 2, Montréal, les éditions Médiart, 1973, 474 pages.

Sculpture : Séduction 90, Montréal, Conseil de la sculpture du Québec, 1990, 47 pages.

Les archives du Conseil de la sculpture du Québec.

Pendant ce temps, les contrats de restauration d'œuvres publiques sont toujours confiés à des firmes étrangères, plusieurs sculptures monumentales sont laissées à l'abandon. On continue de demander aux sculpteurs, certains d'entre eux toujours aussi pauvres, de faire don d'œuvres pour soutenir des causes charitables... Comme si, au Québec, rien n'était jamais vraiment acquis. Et que tellement restait à faire...

Cet ordre des choses non seulement justifie l'existence du Conseil de la sculpture du Québec mais oblige à la poursuite de ses idéaux premiers. Ce sont ces idéaux qui rallient l'organisme et lui donnent l'énergie nécessaire, la volonté de continuer le travail entrepris il y a maintenant plus de trente ans : soutenir la difficile pratique de la sculpture, faire connaître le talent de ses artistes, faire aimer cet art le plus possible, le plus largement possible.

Remerciements

Nous sommes redevables à monsieur Jean Dumont de certains éléments de réflexion qui ont aidé à la rédaction de ce texte.

Bibliographie

COUTURE, Francine. *L'Association des sculpteurs du Québec 1961-1980,* Montréal, **Revue Protée**, vol. 9 no 1, printemps 1981.

ROBERT, Guy. **L'art au Québec depuis 1940**, Montréal, Les Éditions La Presse, 1973, 501 pages.

BOISMENU, Gérard, MAILLOT, Laurent, ROUILLARD, Jacques. **le Québec en textes Anthologie 1940-1986,** Jean-Claude Robert, *La Révolution tranquille,* Montréal, Boréal, 1986, 615 pages.

Québec Underground, 10 ans d'art marginal au Québec 1962-1972, Tome 2, Montréal, les éditions Médiart, 1973, 474 pages.

Sculpture : séduction '90, Montréal, Conseil de la sculpture du Québec, 1990, 47 pages.

Les archives du Conseil de la sculpture du Québec.

LES CONSEILS D'ADMINISTRATION
BOARD OF DIRECTORS

1994

PIERRYVES ANGERS, PRÉSIDENT, AURELIO SANDONATO, 1ER VICE-PRÉSIDENT, MARIE-JOSÉ BEAUDOIN, 2E VICE-PRÉSIDENTE ET SECRÉTAIRE, PIERRE TESSIER, TRÉSORIER, SERGE BEAUMONT, SUZANNE FERLAND, MICHEL J. LANCTÔT ET JOHAN H. NACHMANSON, ADMINISTRATEURS

1993

PIERRYVES ANGERS, PRÉSIDENT, AURELIO SANDONATO, 1ER VICE-PRÉSIDENT, MARIE-JOSÉ BEAUDOIN, 2E VICE-PRÉSIDENTE ET SECRÉTAIRE, PIERRE TESSIER, TRÉSORIER, ANDRÉ BÉCOT, JEAN-MICHEL BOUTILLETTE, MICHEL J. LANCTÔT ET JOHAN H. NACHMANSON, ADMINISTRATEURS

1992

PIERRYVES ANGERS, PRÉSIDENT, AURELIO SANDONATO, 1ER VICE-PRÉSIDENT, MARIE-JOSÉ BEAUDOIN, 2E VICE-PRÉSIDENTE ET SECRÉTAIRE, PIERRE TESSIER, TRÉSORIER, ANDRÉ BÉCOT, MAURICE DEMERS ET MICHEL J. LANCTÔT, ADMINISTRATEURS

1991

PIERRYVES ANGERS, PRÉSIDENT, AURÉLIO SANDONATO, 1ER VICE-PRÉSIDENT, MARIE-JOSÉ BEAUDOIN, 2E VICE-PRÉSIDENTE, J.A. MICHEL BOISVERT, SECRÉTAIRE-TRÉSORIER, ANDRÉ BÉCOT, PAUL GRÉGOIRE, MICHEL J. LANCTÔT, JEAN MASSÉ ET PIERRE PÉPIN, ADMINISTRATEURS

1990

LOUISE PAGE, PRÉSIDENTE, AURÉLIO SANDONATO, 1ER VICE-PRÉSIDENT, PIERRYVES ANGERS, 2E VICE-PRÉSIDENT ET TRÉSORIER, DANIEL-JEAN PRIMEAU, SECRÉTAIRE, ANDRÉ BÉCOT, JEAN-JACQUES BESNER, CHARLES S.N. PARENT ET MICHEL J. LANCTÔT, ADMINISTRATEURS

1989

LOUISE PAGE, PRÉSIDENTE, AURÉLIO SANDONATO, 1ER VICE-PRÉSIDENT, PIERRYVES ANGERS, 2E VICE-PRÉSIDENT, DANIEL-JEAN PRIMEAU, SECRÉTAIRE, GUY NADEAU, TRÉSORIER, JEAN-JACQUES BESNER, MICHEL J. LANCTÔT ET CHARLES S.N. PARENT, ADMINISTRATEURS

1988

LOUISE PAGE, PRÉSIDENTE, AURÉLIO SANDONATO, 1ER VICE-PRÉSIDENT, PIERRYVES ANGERS, 2E VICE-PRÉSIDENT, DANIEL-JEAN PRIMEAU, SECRÉTAIRE, GUY NADEAU, TRÉSORIER, JEAN-JACQUES BESNER, CHARLES S.N. PARENT ET SERGE PROVENÇAL, ADMINISTRATEURS

1987

LOUISE PAGE, PRÉSIDENTE, AURÉLIO SANDONATO, 1ER VICE-PRÉSIDENT ET TRÉSORIER, CAROL PROULX, 2E VICE-PRÉSIDENT, SERGE FISETTE, SECRÉTAIRE, DANIELLE THIBEAULT ET MARIE-PIERRE VALTON, ADMINISTRATRICES

1986

Tatiana Démidoff-Séguin, présidente, Luc Forget, 1er vice-président, Joëlle Morosoli, 2e vice-présidente, Dominique Carreau, secrétaire, Liliane Busby, trésorière, Daniel-Jean Primeau et Catherine Widgery, administrateurs, Jules Lasalle, Louise Page et Carol Proulx, administrateurs par intérim

1985

Tatiana Démidoff-Séguin, présidente, Luc Forget, 1er vice-président, Joëlle Morosoli, 2e vice-présidente, Daniel-Jean Primeau, secrétaire, Jean Aubert, trésorier, Dominique Carreau et Francine Dubois, Administratrices

1984

Tatiana Démidoff-Séguin, présidente, Luc Forget, 1er vice-président, Daniel-Jean Primeau, secrétaire, Pearl Levy, trésorière, Denise Arseneault, Micheline Brodeur et André Bécot, administrateurs

1983

Tatiana Démidoff-Séguin, présidente, Denise Arseneault, 1re vice-présidente, Luc Forget, 2e vice-président, Micheline Brodeur, trésorière, Pearl Lévy, secrétaire, André Bécot et Francine Richman, administrateurs

1982

Tatiana Démidoff-Séguin, présidente par intérim, Denise Arseneault, secrétaire, Pearl Lévy, trésorière, Pauline Bouthillette et Luc Forget, administrateurs, Louise Page et Gilles Payette, administrateurs par intérim

1982

Dominique Rolland, président, Tatiana Démidoff-Séguin, 1re vice-présidente, Dominique Valade, secrétaire, Pearl Lévy, secrétaire, Denise Arseneault, Pauline Bouthillette et Luc Forget, administrateurs

1981

Dominique Rolland, président, Sylvie Rochette, 1re vice-présidente, Pierre Bayeur, 2e vice-président, Tatiana Démidoff-Séguin, secrétaire, Claude Millette, trésorier, Claude-Paul Gauthier et André Fournelle, administrateurs

1980

Claude-Paul Gauthier, président, André Fournelle, 1er vice-président, Sylvie Rochette, 2e vice-présidente, Pierre Venne, secrétaire, Hubert Durocher, trésorier, Denys Tremblay et André Bécot, administrateurs

1979

Claude-Paul Gauthier, président, Pierre Leblanc, 1er vice-président, Denys Tremblay, 2e vice-président, Pierre Venne, secrétaire, François-Xavier Cloutier, trésorier, André Bécot et Hubert Durocher, administrateurs

1978

Assemblée de fondation

Claude-Paul Gauthier, Pierre Leblanc, Denys Tremblay, Pierre Venne, François-Xavier Cloutier, Hubert Durocher, Adrien Villandré

Les conseils d'administration de l'Association des Sculpteurs du Québec

1973

Armand Vaillancourt, président, Peter Gnass, 1er vice-président, Gérard Bélanger, 2e vice-président, Jean Gauguet-Larouche, secrétaire, Raymond Giguère, trésorier, Raymond Mitchell et Jacques Huet, administrateurs (André Mongeau remplacera Jean Gauguet-Larouche)

1972

Mario Mérola, président, Pierre Heyvaert, 1er vice-président, Yves Trudeau, 2e vice-président, Raymond Mitchell, secrétaire, Raymond Giguère, trésorier, Peter Gnass et Hannah Franklin, administrateurs

1971

Pierre Heyvaert, président, Germain Bergeron, 1er vice-président, Yves Trudeau, 2e vice-président, Ivanhoé Fortier, secrétaire, Raymond Giguère, trésorier, Peter Gnass et Rupert Jones, administrateurs

1970

Pierre Heyvaert, président, Lewis Pagé, 1er vice-président, Marcel Braitstein, 2e vice-président, Michel Aubin, secrétaire, Ivanhoé Fortier, trésorier, Mario Bartolini et Peter Gnass, administrateurs

1969

Peter Gnass, président, Marcel Braitstein, 1er vice-président, Lewis Pagé, 2e vice-président, Pierre Heyvaert, secrétaire, Yves Trudeau, trésorier, Michel Aubin et Ivanhoé Fortier, administrateurs

1968

Yves Trudeau, président, Peter Gnass, 1er vice-président, Jean-Jacques Besner, 2e vice-président, Yvette Bisson, secrétaire, Pierre Heyvaert, trésorier, Ivanhoé Fortier et André Fournelle, administrateurs

1967

Jean-Jacques Besner, président, Yves Trudeau, 1er vice-président, Germain Bergeron, 2e vice-président, Peter Gnass, secrétaire, Pierre Heyvaert, trésorier, Cara Popescu et Ethel Rosenfield, administratrices

1966

Jean-Noël Poliquin, président, Hans Schleeh, 1er vice-président, Yves Trudeau, 2e vice-président, Cara Popescu, secrétaire, Pierre Heyvaert, trésorier, Roland Dinel et Ethel Rosenfield, administrateurs

1965

Yves Trudeau, président, Armand Vaillancourt, 1er vice-président, Raoul Hunter, 2e vice-président, Jean-Noël Poliquin, secrétaire, Germain Bergeron, trésorier, Hans Schleeh et Maximilien Boucher, administrateurs

1963-1964

Yves Trudeau, président, Marcel Braistein, 1er vice-président, Raoul Hunter, 2e vice-président, Ivanhoé Fortier, secrétaire, Roland Dinel, trésorier, Gaétan Therrien et Hilde Bolte, administrateurs

1963

Yves Trudeau, président, Raoul Hunter, 1er vice-président, Gaétan Therrien, 2e vice-président, Yvette Bisson, secrétaire, Ethel Rosenfield, trésorière, Stanley Lewis et Hilde Bolte, administrateurs

1961

Membres fondateurs : Yves Trudeau, Yvette Bisson, Ethel Rosenfield, Jacques Chapdelaine, Rolland Dinel, Gaétan Therrien, Stanley Lewis, Jean-Pierre Boivin, Hans Schleeh, Mario Bartolini

Membres honoraires
Honorary members

Le Conseil de la sculpture du Québec est heureux de compter parmi ses membres des personnes qui honorent la discipline par leur apport remarquable.

The Conseil de la sculpture du Québec is pleased to include among its members, people who honour this discipline by their remarkable contributions.

Louis Archambault

Sylvia Daoust

Charles Daudelin

Tatiana Démidoff-Séguin

Bernard Lamarre

Yves Trudeau

Armand Vaillancourt

À titre posthume :

Jordi Bonet

Jean Gauguet-Larouche

Esther Lapointe

Membres associés:
Associate Members.

Le Conseil de la sculpture bénéficie du support de ses membres associés:

The Conseil de la sculpture is supported by its associate members.

Atelier du Bronze

Atelier Sculpt

Atelier Silex inc.

Oscar Simon Bael Ortiz

Andrew Benyei

Monique Brault

Daniel Campeau
Boréal Multimédia

Centre de formation et de consultation en métiers d'art, Cégep de Limoilou

Bernadette Chevalier

Danielle Dagenais-Pérusse

Fonderie Artcast inc.

Paul Jutras
Price Waterhouse

Pierrette Lambert

Maison de la Culture Gatineau

Michel J. Lanctôt
Dunton, Rainville,Toupin, Perrault

J.A. Letendre

Johan H. Nachmanson

Marie-France Neveu

E.A. Nienhuis

Charles S.N. Parent, vice-président
Lévesques, Beaubien, Geoffrion inc.

Sylvie Rochette

Pierre Tremblay, courtier
Assurance Pierre Tremblay enr.

Gaston Turcotte

RÉPERTOIRE
DES
SCULPTEURS

PHOTO : FRÉDÉRIC GEORGE

LA FAMILLE 1985

BRONZE
25 x 16 x 10 CM

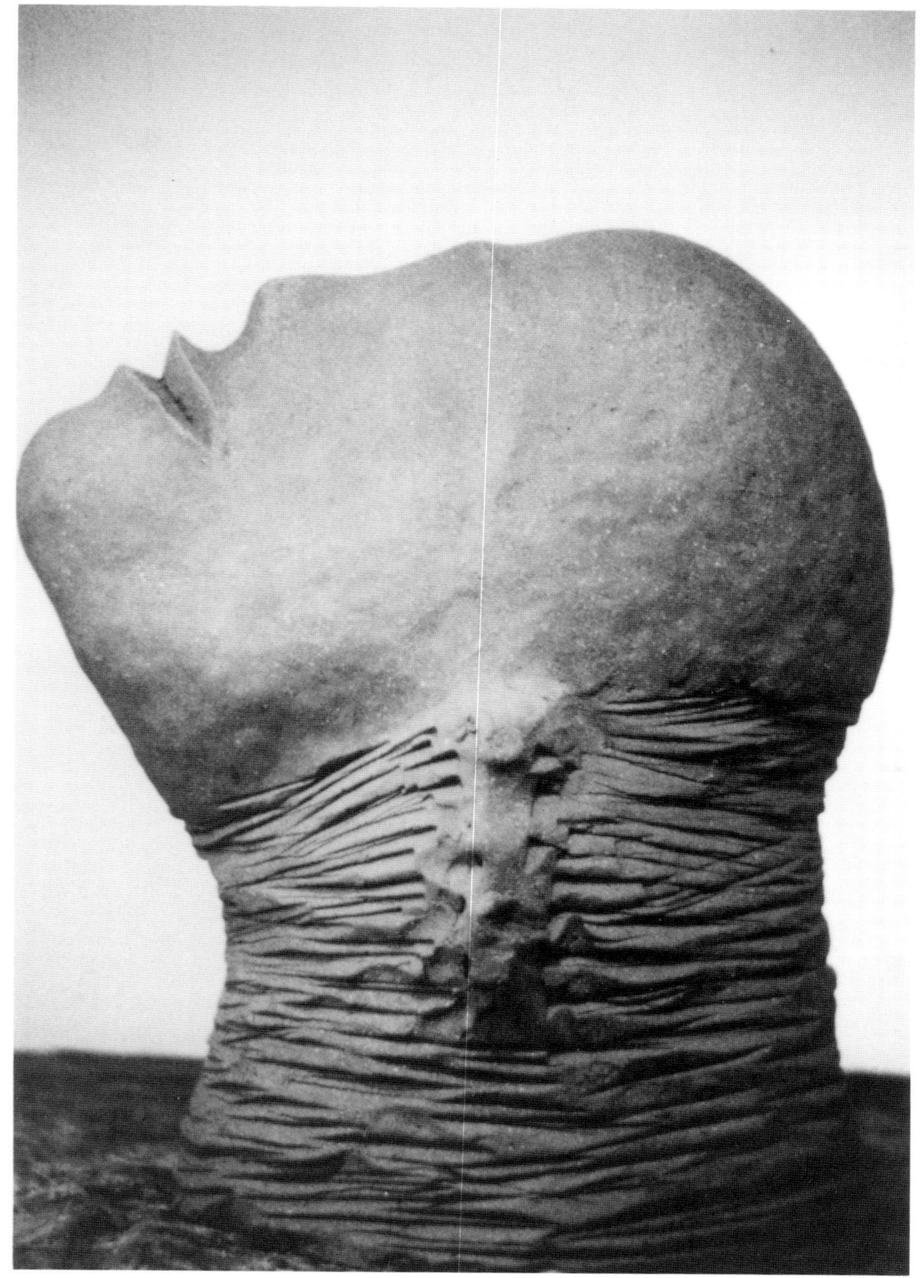

Photo : Denis Ampleman

Le Vert 1993

Grès

400 x 340 cm

PHOTO : PIERRYVES ANGERS

LA PASSION A TOUJOURS 30 ANS, CAMILLE CLAUDEL 1988

BRONZE, RÉSINE DE SYNTHÈSE
12,5 X 5 X 5 CM

Photo : Musée des beaux-arts de Montréal

L'Arbre sacré 1993

Sapin Douglas lamellé
450 cm x 392 cm 420 cm

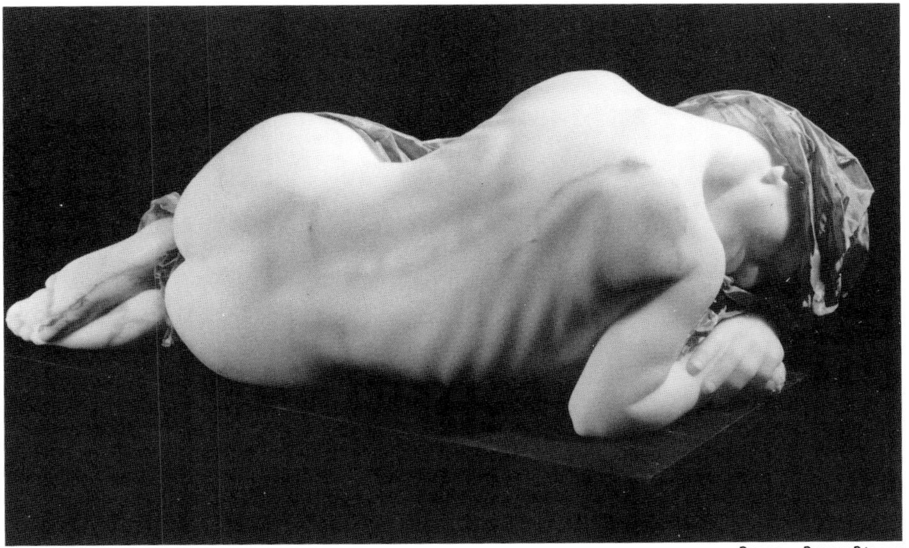

PHOTO : PIERRE BÉDARD

DANAÏDE 1992

MARBRE, TOILE DE CUIVRE
30 x 80 x 46 CM

PHOTO : MARIE-CHRISTINE SIMARD

BORNE DE VIE EN NAUFRAGE (ÎLOT DE « MOURIR SANS S'ACHEVER ») 1984

BOIS, PLÂTRE, ÉPONGES, CORAUX, FILETS, ÉLASTIQUES DE COUTURE, LAMINAGE, TIMBRES, ÉLÉMENTS RECYCLÉS, EAU, ACRYLIQUE, ETC.
25,5 X 152 X 175 CM

Photo : Jean Aubert

Éclosion 1980

Pierre de Montréal
30,5 x 30,5 x 30,5 cm

PHOTO : JACQUES BARIL

À LA TERRE RETOURNÉE 1993

FER, OUTILS MINIERS, CIMENT, SILICE
274 X 182 X 45,5 CM

Photo : Eugène Kedl

Il semble y avoir comme une pluie d'or 1983

Aluminium, acier inoxydable

18 x 6 x 4,5 m

Photo : Alain Décarie

Infinitude 1992

Aluminium et titane
732 x 36 x 36 cm

PHOTO : CHRISTIANE BERTHIAUME

TAÔ 1989

CALCAIRE, GRANIT, BRONZE
150 CM

Photo : André Bécot

Varium et Mutabile 1994

Bois, métal, pierre

30 x 90 x 150 cm

Photo : Jacques Bénard

Statuario 1993

Marbre

35 x 25 cm

Photo : Claude Gaudreault

La colonne à travers l'espace-temps ou l'imaginaire de la durée

(installation) 1994

Granite, acier, verre, céramique

PHOTO : LILIANA BEREZOWSKY

KAPLAN I 1992

ACIER CORTEN, BOIS, CIMENT
485 X 350 CM

PHOTO : GERMAIN BERGERON

O-MIRODALICASS-O 1990

ACIER SOUDÉ

366 x 122 x 152 CM

PHOTO : SHIRLEY BERK SIMON

SON ESPRIT SUSPENDU 1993

POTEAUX, ÉQUERRES, MORCEAU DE TUYAU,
TENAILLE ROUILLÉE, CHAÎNE, CHÂLE NOIR TROUÉ, TEXTE
305 x 99 x 69 CM

VIASTAKA 1993

ACIER SOUDÉ

366 CM

Manon Bertrand

Une portée musicale (signe de silence) 1994

Bois, verre, craie de cire, lumière

60 x 260 x 90 cm

PHOTO : MICKAEL SLOBODIAN

L'ARTISTE EST CELUI QUI FAIT VOIR L'AUTRE CÔTÉ DES CHOSES
(ŒUVRE D'INTÉGRATION À L'ARCHITECTURE) 1992-93

BÉTON, GRANITE, ACIER INOXYDABLE, VERRE, ALUMINIUM
520 X 625 CM

Marie Bineau

Photo : Daniel Roussel

Maison rose, jardin de ville (côté jardin)1988

Acrylique sur bois et toile, papier moulé,
projection de diapositives sur relief
160 x 160 x 240 cm

Photo : Gilles Boisvert

La Ville en Fer 1993

Fer

274 x 366 x 366 cm

PHOTO : J.A. MICHEL BOISVERT

L'EFFRONTÉ 1994

TERRE GLAISE
51 x 25 x 20 CM

Photo : Nicholas Gauthier

L'œuvre de chair 1993

Techniques mixtes (installation)
Table : 260 x 260 cm
Serpent et personnages : 1,230 x 60 cm

PHOTO : MICHEL CARON

JARDIN INDIANA 1994

162 BLOCS DE VERRE, 23 CAISSONS DE BOIS, PEINTURES, AUTOCOLLANTS PLASTIFIÉS, OBJETS DIVERS
180 x 120 x 270 CM

PHOTO : DORIS BOUFFARD

CRI DANS LE DÉSERT 1993

TERRA COTTA
38 x 82 x 46 CM

Diana Boulay-Dubé

Photo : Daniel Roussel

Blue Abstraction 1992

Bandes d'attache pour journaux, plexiglass

37 x 91 x 8 cm

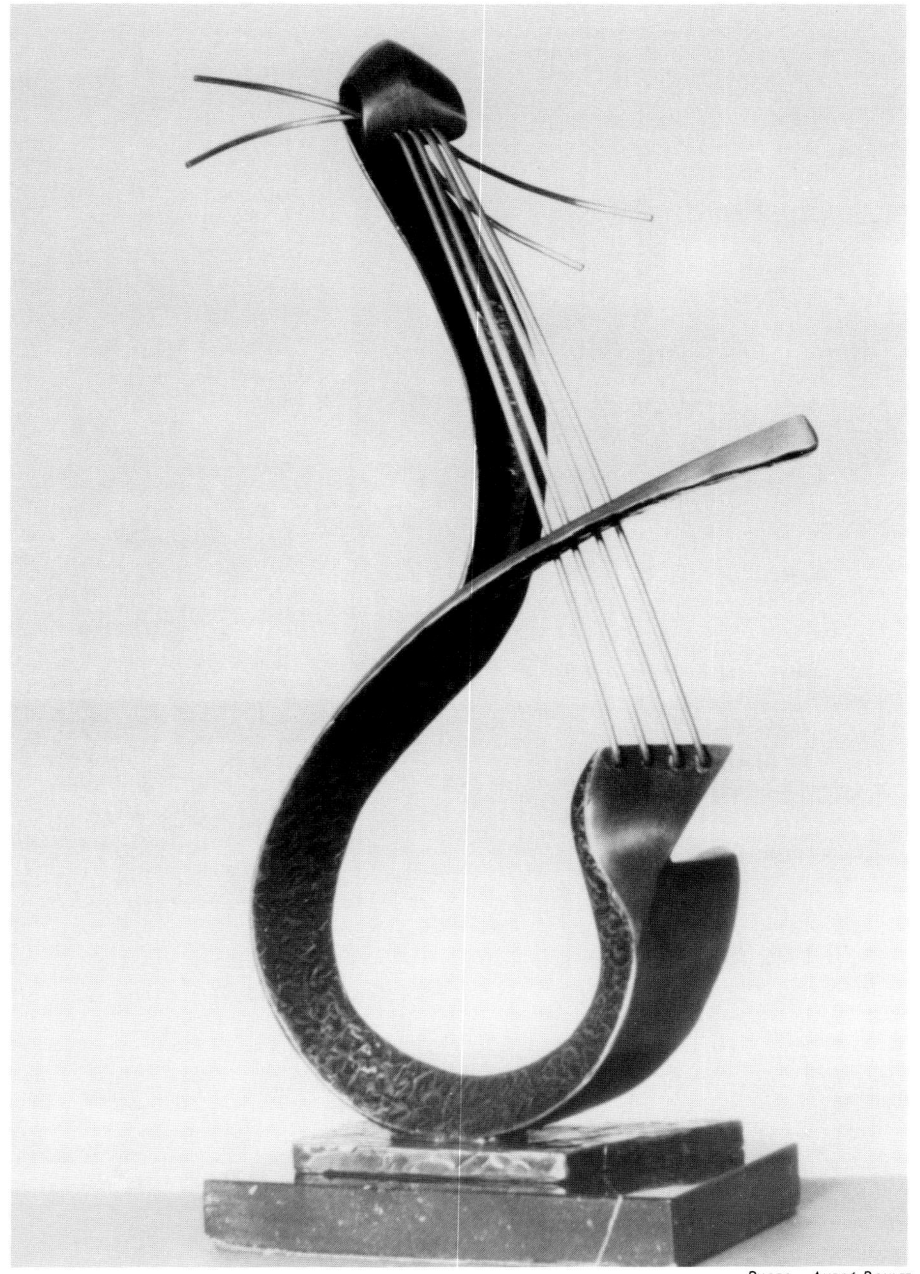

Photo : André Boulet

La Corde sensible 1993

Bronze, marbre
36 x 18 x 12 cm

Photo : Léopold Bourjoi

Balise d'Élire 1990-94

Bronze patiné
51 x 38 x 38 cm

PHOTO : JOSÉ B.

TOUT DE DOUCEUR 1991

BRONZE
38 x 17 x 10 CM

Luc Boyer

Photo : Gilles Grégoire

Le Refuge 1993

Bois de sapin, papier journal, corbeau

244 x 244 x 183 cm

Photo : Michel Magher

Le coq – modèle Bangkok 1/6 1993

Cuivre, laiton, patine

28 x 46 x 8 cm

GÉRALD BRAULT

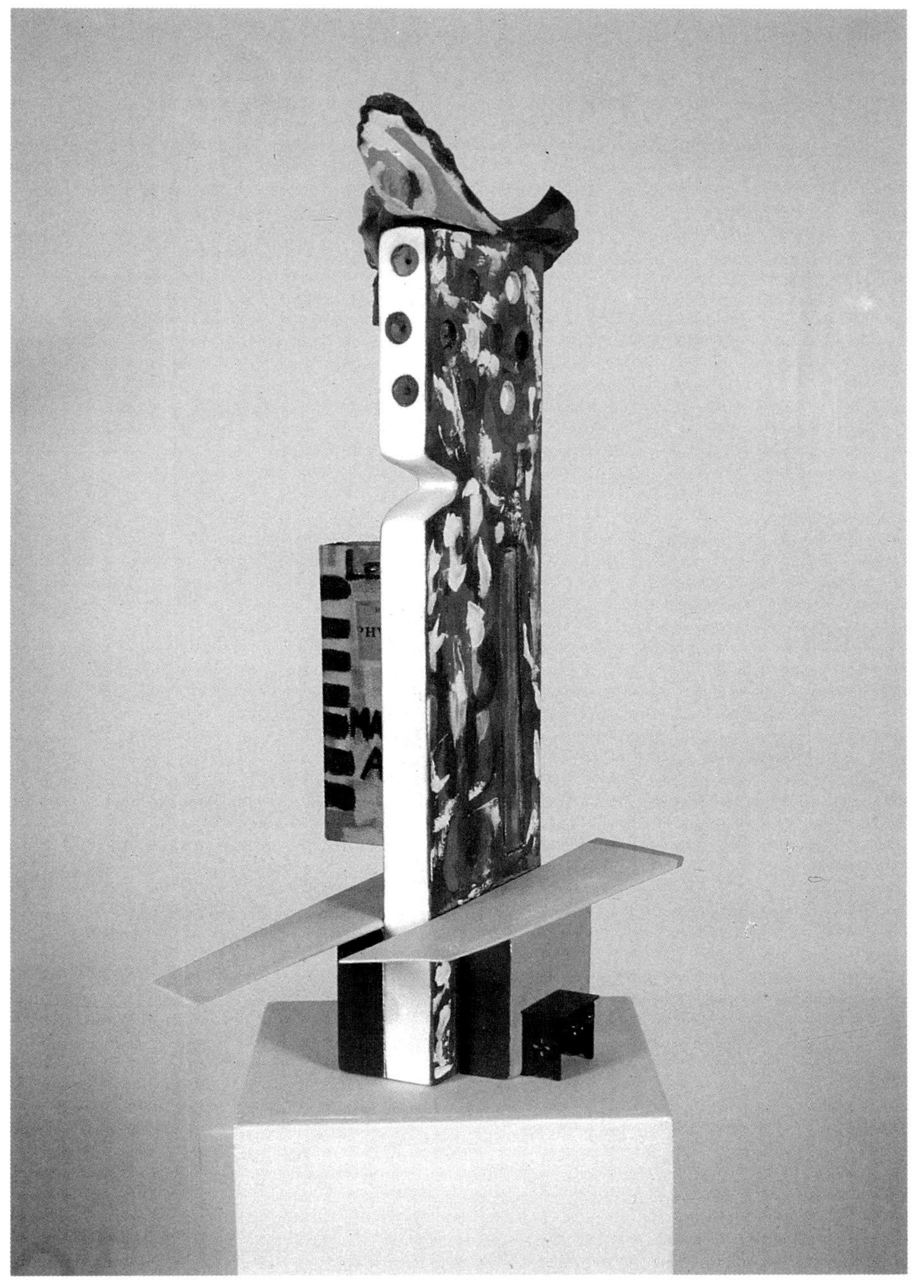

PHOTO : HUGUETTE BRAULT

L'ÉCRIVAIN 1989

BOIS, OS, CARTON, PLASTIQUE, ACRYLIQUE
66 X 22 X 50 CM

Photo : Michel Dubreuil

Comme un poisson et une pomme 1990

Bronze, graphite

Josée Cardin

Photo : Josée Cardin

Sans titre

Céramique, photographie
122 x 305 cm

PHOTO : PATRICE LEFEBVRE

TOPOLOGIQUEMENT TORE 1989

ACIER PEINT, DESSIN, PHOTO
8,50 x 12,20 x 3,35 M

PHOTO : LOUIS CHIASSON

PETITE DOUCEUR 1989

STÉATITE
15 CM

Photo : Denis Cogné

Au-delà du temps... 1988

Verre, granite
102 x 152 x 81 cm

Daniel Corbeil

Photo : Daniel Corbeil

L'Esprit frappeur 1989

Techniques mixtes
6 x 6 x 2,7 m

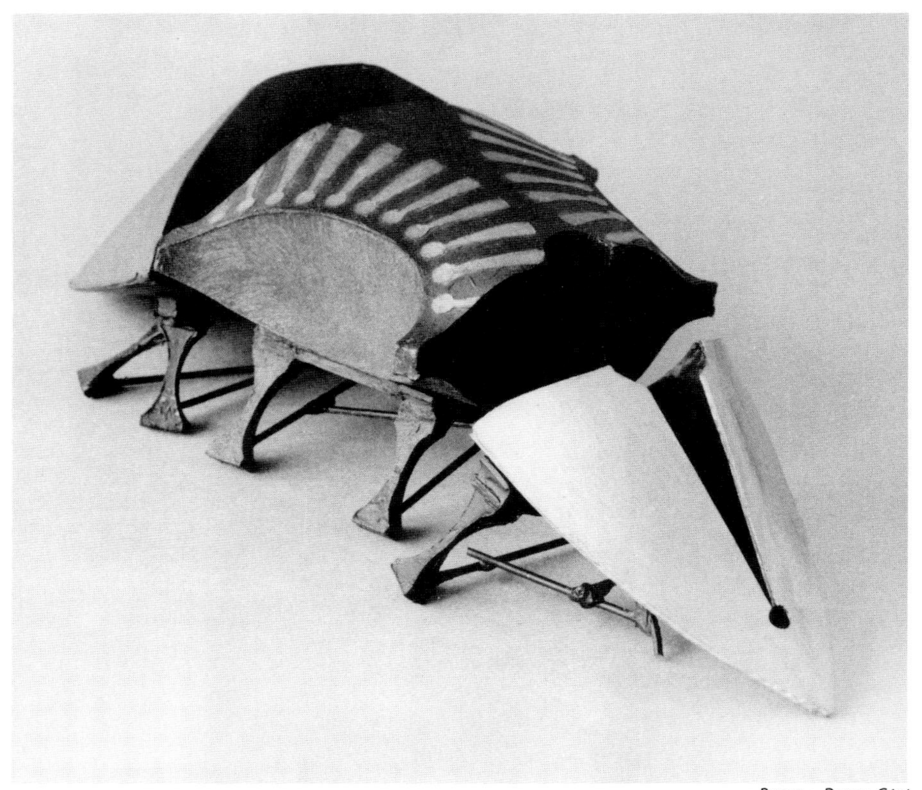

PHOTO : DANIEL CÔTÉ

BESTIAIRE 1991

CARTON PEINT
30 X 20 X 6 CM

Françoise Coté-Frico

Photo : Françoise Coté-Frico

La Porte Graffiti 1990

Aluminium, cuivre, matériaux de récupération
100 x 180 x 10 cm

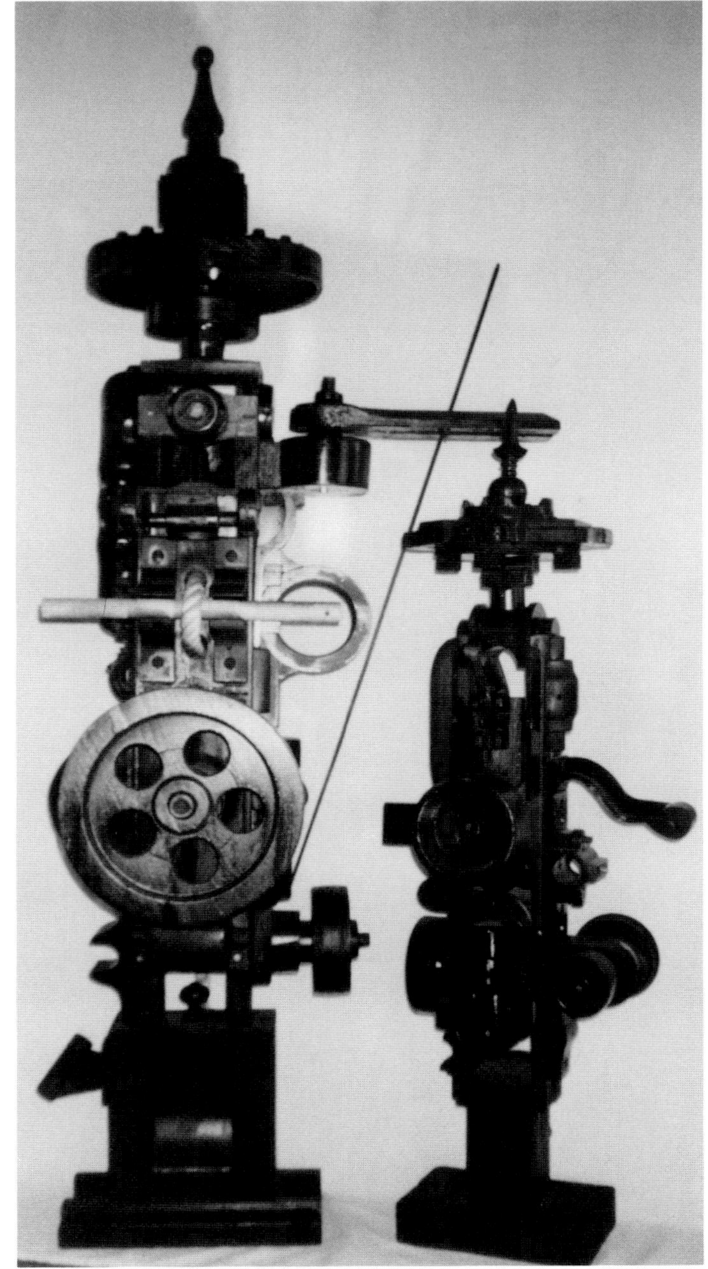

PHOTO : ÉRIC COULONG

TOTÉMATIQUE 2 ET 4 LA MÈRE ET L'ENFANT 1992

BOIS

GRANDE PIÈCE : 180 X 90 CM

PETITE PIÈCE : 135 X 44 CM

Photo : Jim Couture

Androgyne 1990

Bronze, marbre
38 x 23 x 23 cm

PHOTO : MICHEL CLOUTIER

LA GRANDE TRAVERSÉE 1992

ACIER, DOUVE DE BARIL, CÈDRE
51 x 28 x 13 CM

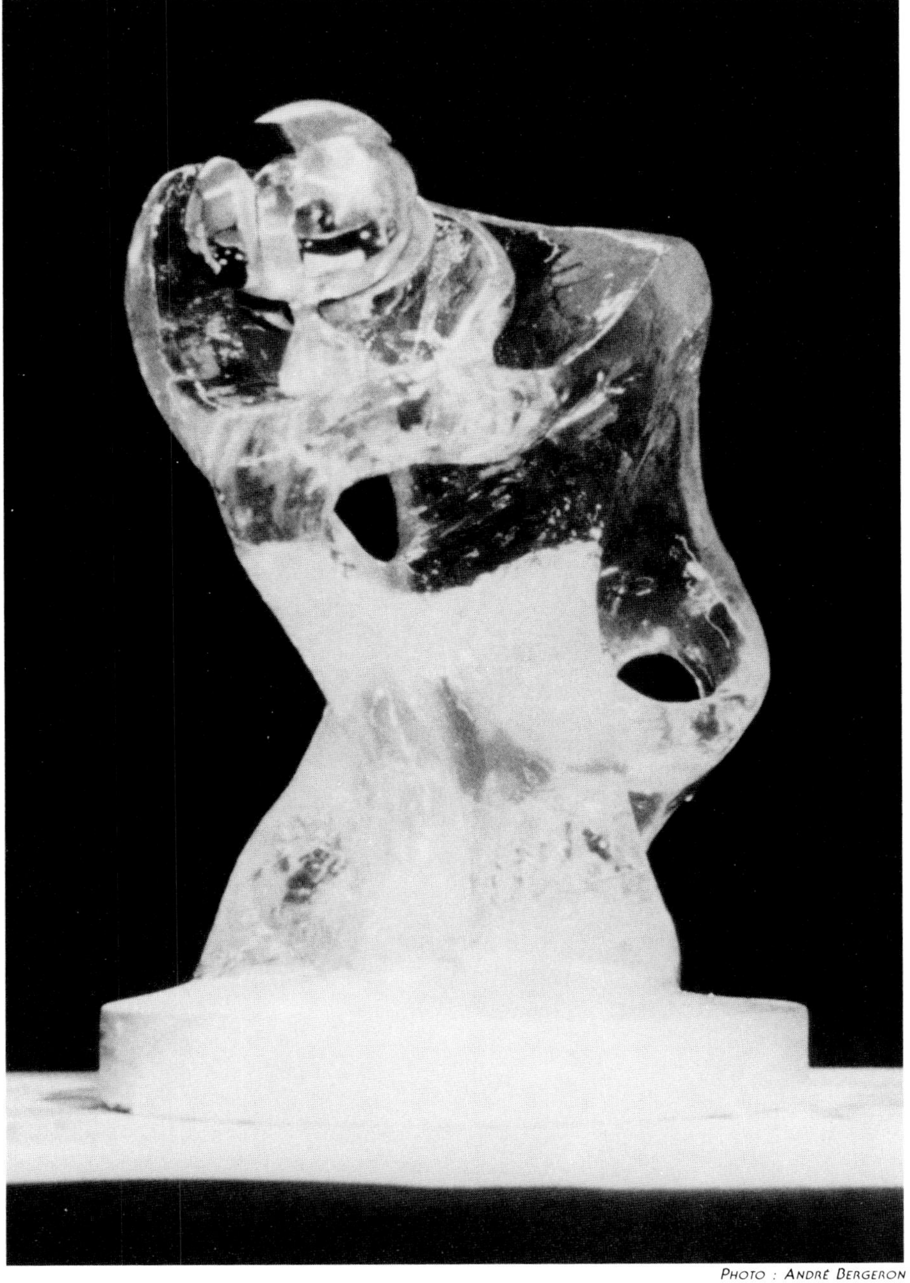

PHOTO : ANDRÉ BERGERON

RETOUR LOINTAIN 1993

POLYESTER, VERRE, BRONZE
29 x 20 x 19 cm

Maternité 1970

Stéatite noire
38 x 28 cm

Embacle (Place du Québec, Paris) 1984

Bronze, pavage de granite
190 x 840 x 480 cm

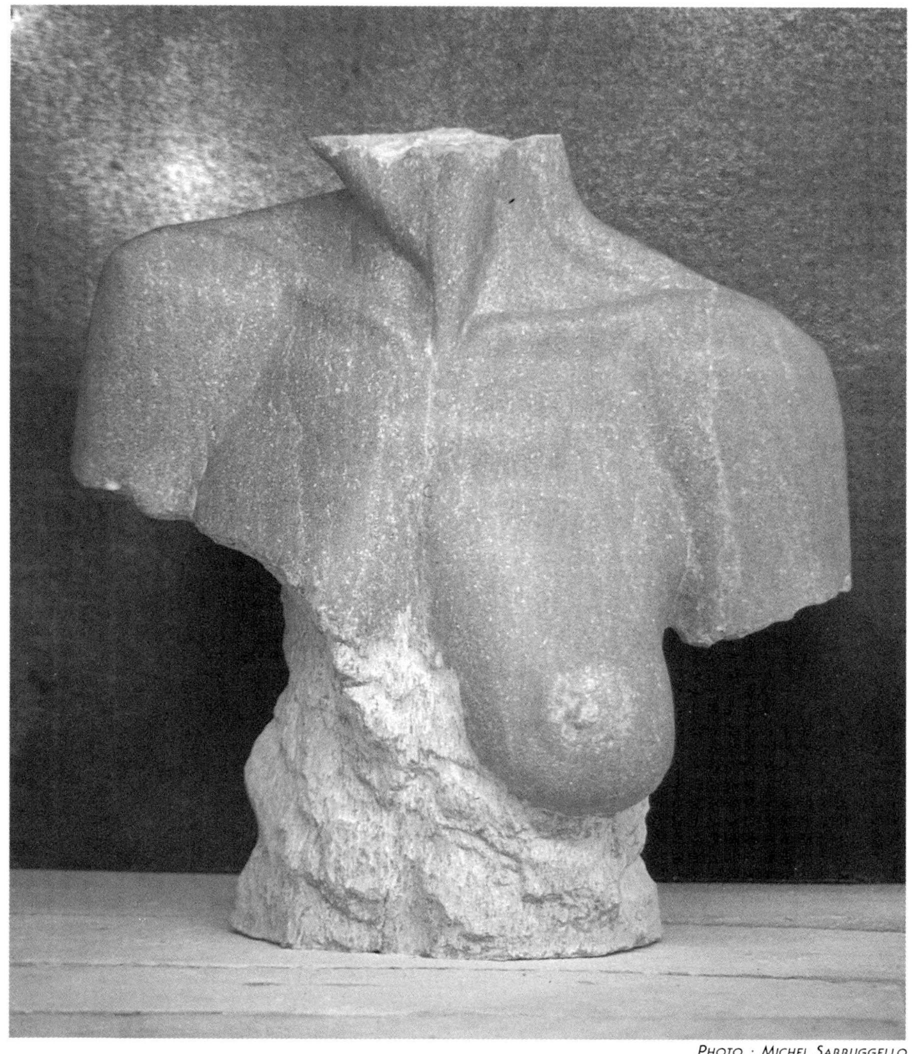

PHOTO : MICHEL SARRUGGELLO

SANS TITRE 1992

PIERRE

43 x 38 x 24 CM

PHOTO : MICHEL DUBREUIL

1, 2, 3, PSCHTT ! 1990

MARBRE, ACIER, LAITON
99 x 104 x 41 CM

PHOTO : YEVKINÉ DE GRÉEF

LA VAGUE 1991

BRONZE
40 CM

PHOTO : GEORGES DELIGEORGES

LA FORÊT HUMAINE 1990

BRONZE

91 X 91 X 30 CM

Photo : Daniel Roussel

Mémoire (œuvre d'intégration à l'architecture) 1987
Ciment fondu vitrifié, bois, miroir, peinture
515 x 518 cm

Photo : Germain Desbiens

Éclatement énergétique

Béton armé
182 x 7,6 x 1 m

Photo : Jacques Després

Métaphore de la Pomme 1990

Bois, métal
20 x 50 x 20 cm

PHOTO : JACQUES LAVALLÉE

KOUROS TATOUÉ 1993

POLYSTYRÈNE, PAPIER MÂCHÉ, BOIS
275 X 100 X 70 CM

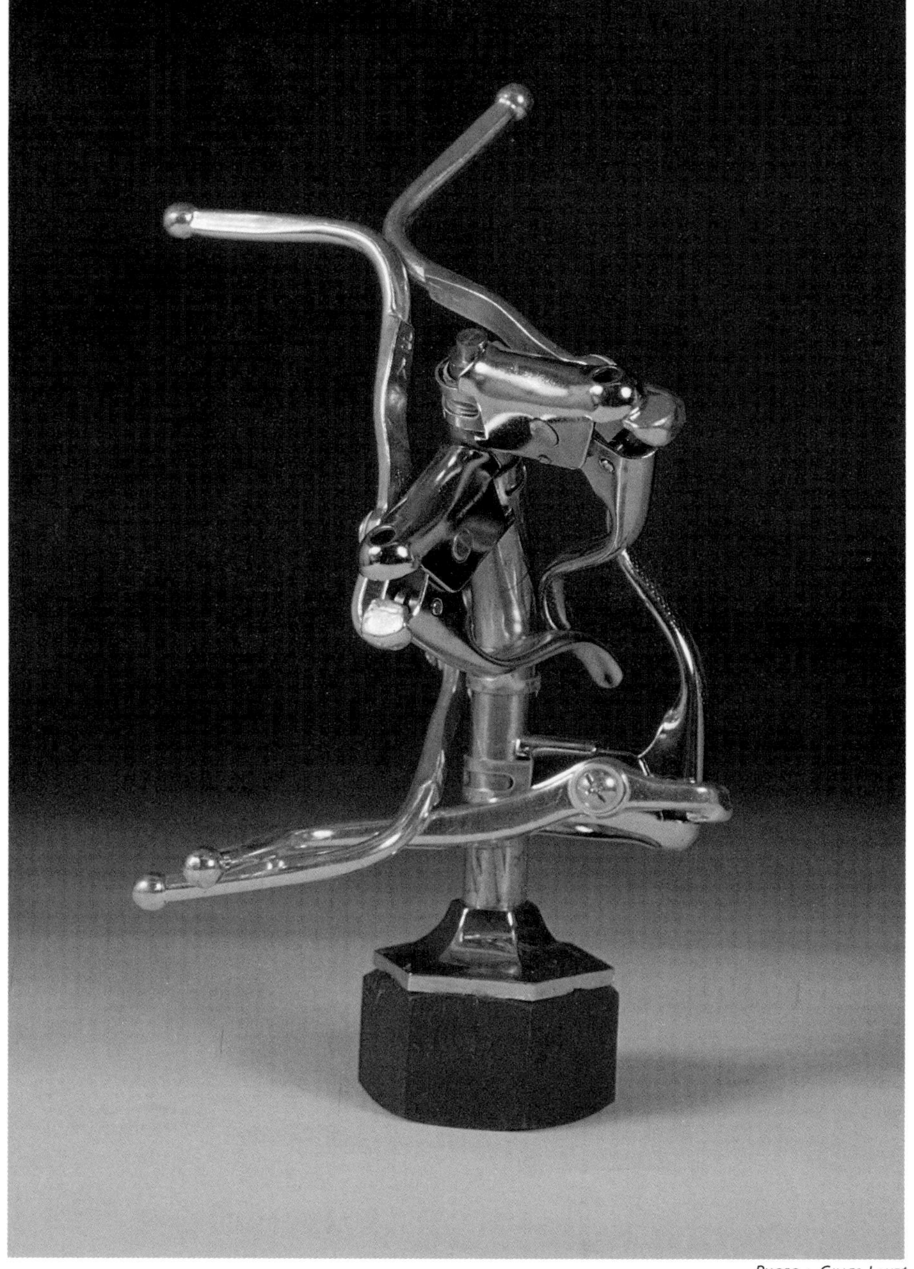

Photo : Gilles Lauzé

Pantographe des Mers 1992

Acier chromé
31 x 16 x 16 cm

BACIO LE MANI 1986

PIERRE CALCAIRE, PIERRE DE SAINT-MARC
43 x 31 x 31 CM

PHOTO : ÉRIC PARENT

ROI, DESPOTE ET SULTANE 1992

GRÈS ET CALCAIRE
61 CM

PHOTO : MICHEL DRAPEAU

JARDIN DE VIE 1992

PIERRE DE ST-MARC, BASE EN BÉTON

335 x 244 x 122 CM

PHOTO : BRUNO DUFOUR

HIBOU 1993

PLÂTRE, HYDROSTONE
50 x 18 CM

Photo : Pierre Dupras

Hommage à George 1992

Fer soudé dans un arbre
600 x 150 cm

PHOTO : DANIEL DUTIL

DÉCLINAISON TEMPORELLE 1987

PLEXIGLASS, ACIER INOXYDABLE
910 x 300 x 180 CM

PHOTO : GEORGES DYENS

BIG BANG N. II 1987

MULTIMÉDIA, FIBRE OPTIQUE, HOLOGRAPHIE
30,5 x 30,5 M

Photo : André-Armel Essiembre

Sans titre 1990

Bronze

Chaque module : environ 15 cm

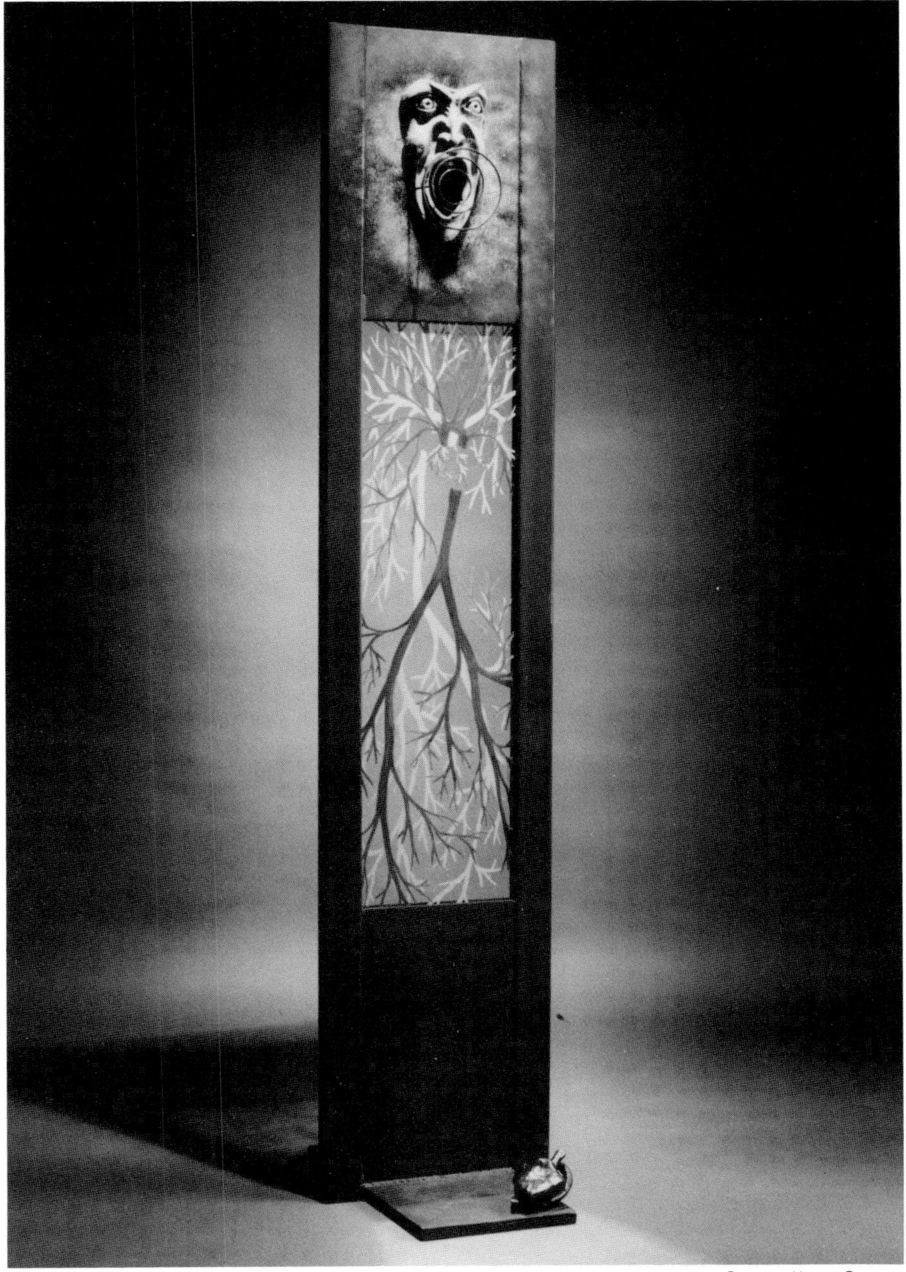

PHOTO : MICHEL DUBREUIL

LE CRI : ÉCHO DU COEUR 1992

ACIER, BRONZE, VERRE
152 x 61 x 61 CM

Luc Forget

Photo : Luc Forget

Blues de la Cité 1993

Techniques mixtes
4 x 20 x 3 m

PHOTO : SUZANNE JOLY

PORTE STÈLE 1990

CUIVRE, BOIS
183 x 61 x 5 CM

Photo : Michel Filion

Personnages 1984

Carton

58 x 46 x 41 cm

André Fournelle

Photo : Michel Dubreuil

Resecare 1990

Acier

152 x 244 cm

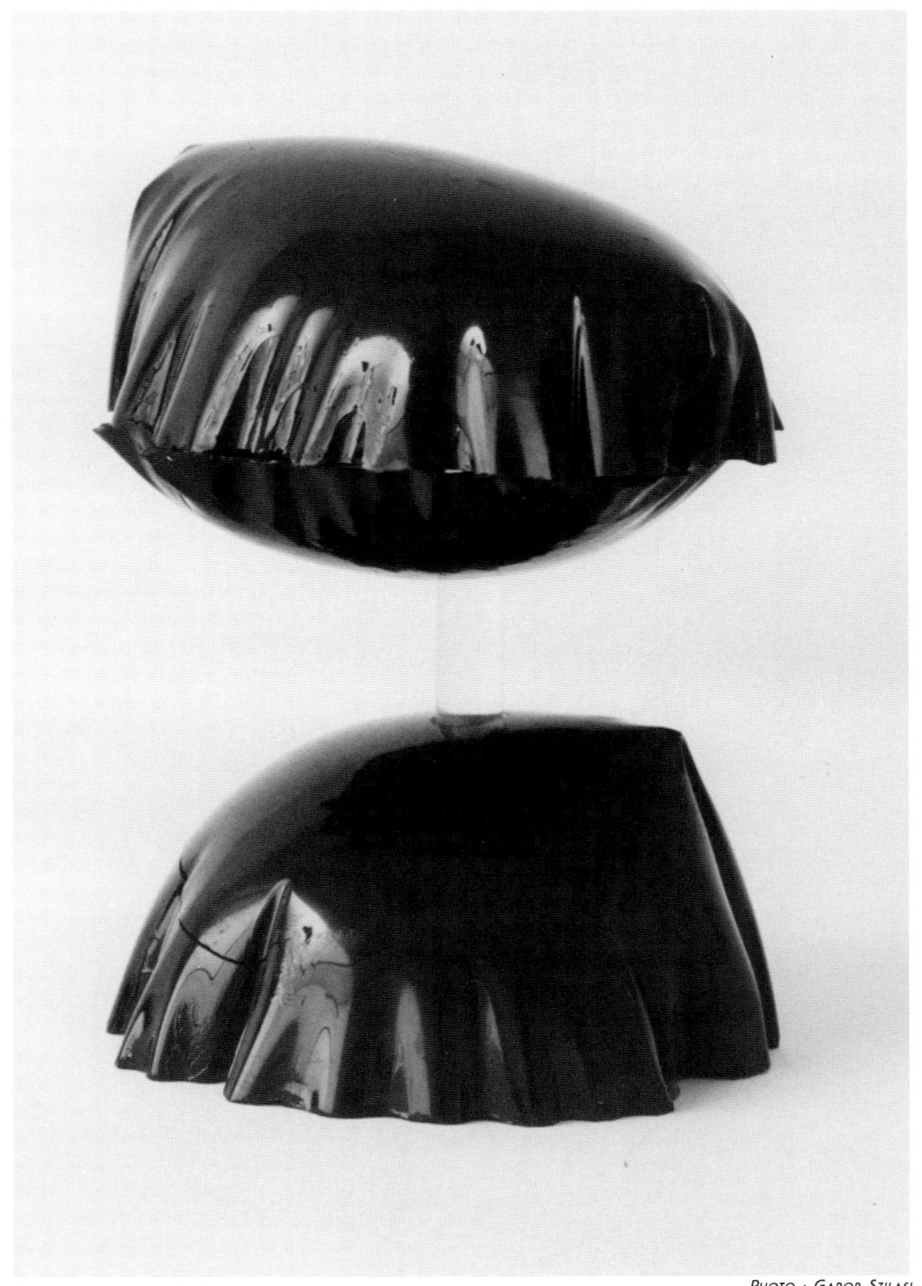

PHOTO : GABOR SZILASI

BLACK DROPS 1978

RÉSINE

31 x 20 x 20 CM

PHOTO : MARC GADBOIS

LA DANSE SOUS LA PEAU 1990

BOIS

178 X 101 X 101 CM

PHOTO : ARISTIDE GAGNON

SANS TITRE 1985

GRANITE, BRONZE
450 CM

Roger Gaudreau

Photo : Gilles Roux

Le jardin suspendu 1994

Pierre, brique, matériaux divers
45 x 28 x 19 cm

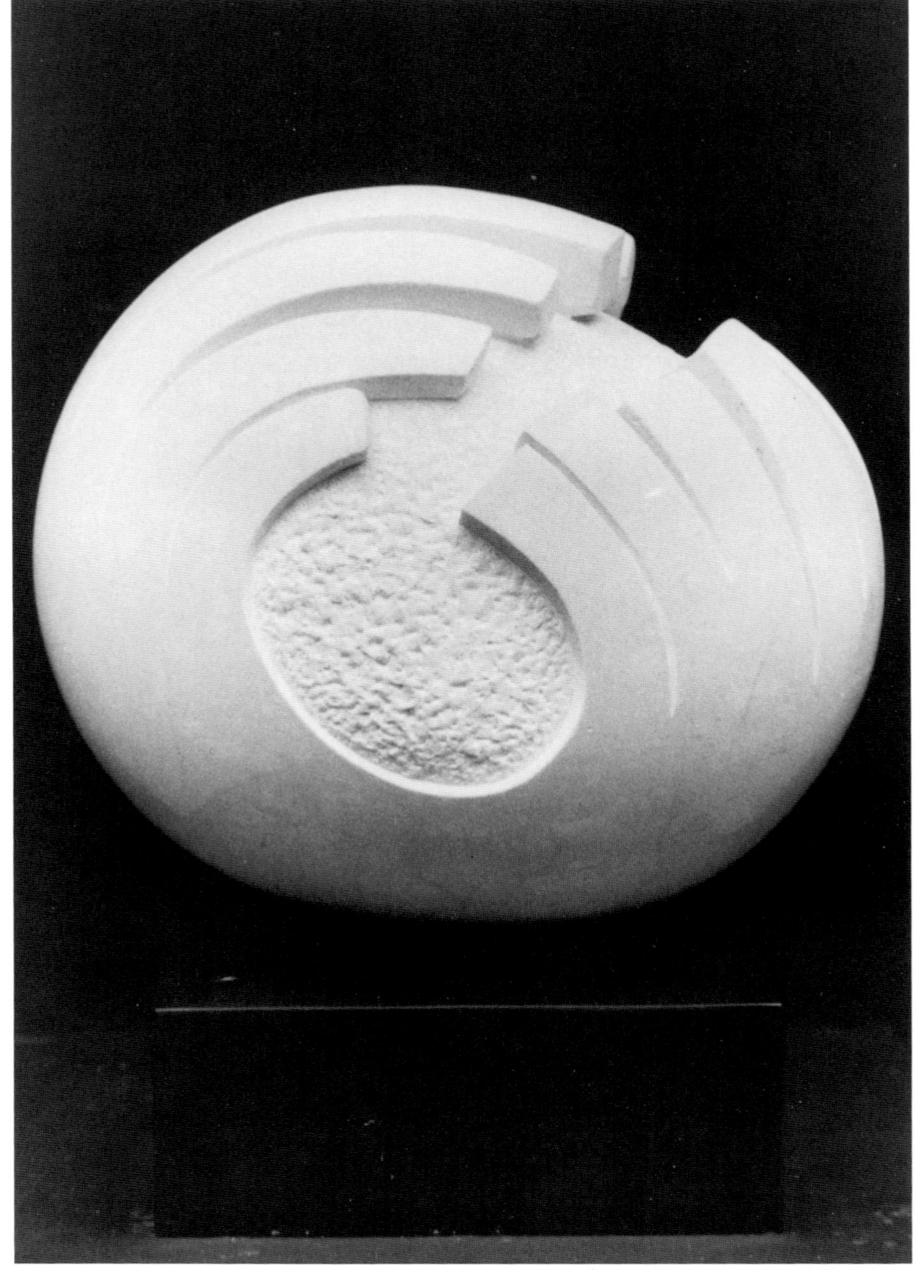

Photo : Jacques Ménard, M.C. PHOTO inc.

Éclosion

Marbre Botterino beige d'Italie, marbre noir de Belgique
39 x 30 x 30 cm

Yves Gendreau

Photo : Jean-Jacques Huot

Supports confortables 1992

Bois, agglomérés

PHOTO : GÉRARD GENDRON

BUNKERS 1991

ACIER PATINÉ
173 X 81 X 14CM

PHOTO : MARC-ANDRÉ GENDRON

CHASSE GALERIE 1994

TECHNIQUES MIXTES
38 X 13 X 14 CM

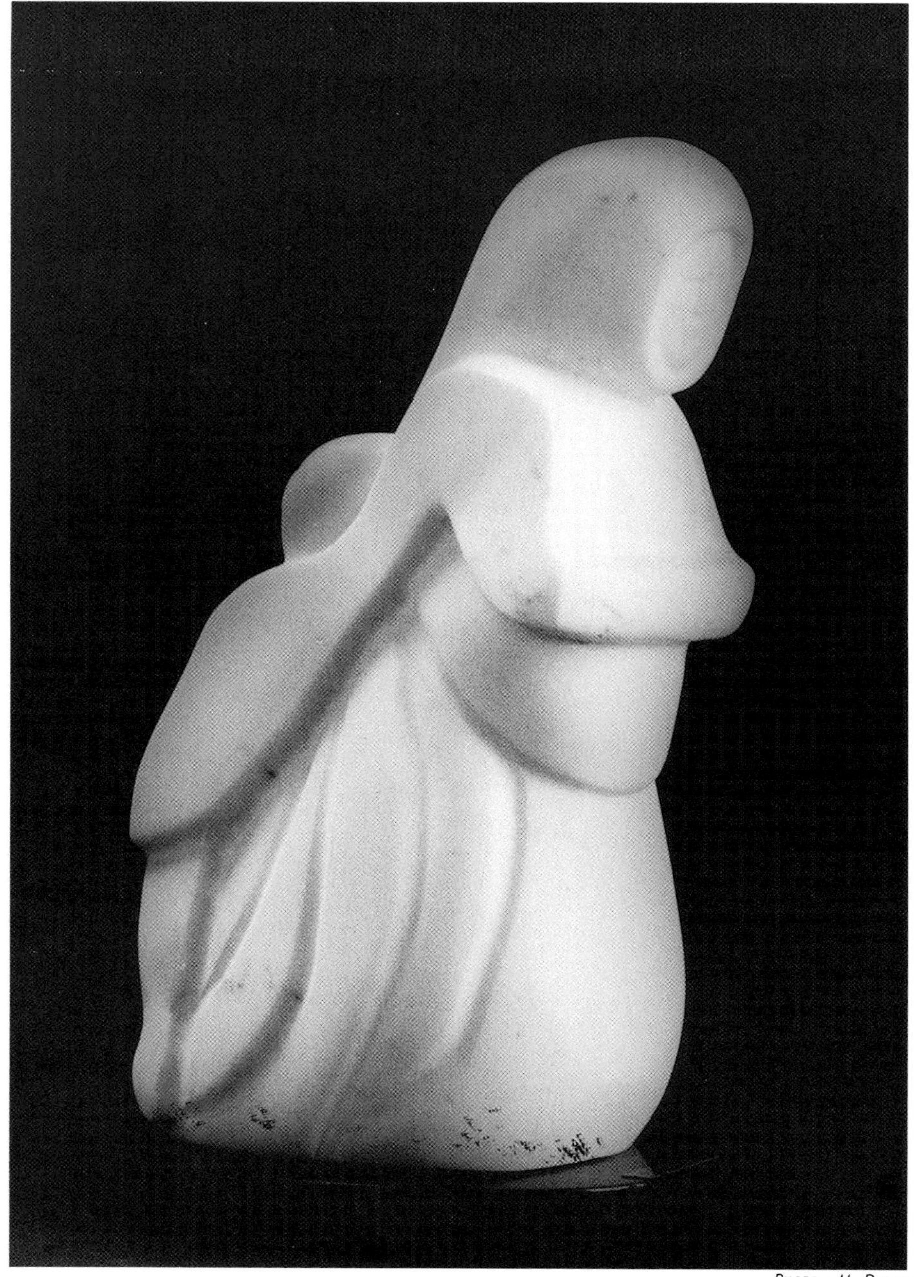

PHOTO : M. DUBAY

SANS TITRE 1991-92

MARBRE BLANC
48 X 25 X 15 CM

PHOTO : PAUL CIMON

SIGNATURE 1993

PIERRE INDIANA
46 x 20 x 23 CM

PHOTO : YVAN BINET

LA RETRAITE / RETROUVER LES CHOSES SIMPLES (INSTALLATION) 1993

LIT, BASSIN DE PORCELAINE, EAU, ACÉTATE DE COULEUR,
LAMPE, SABLE DE SILICE, PIERRE DE CALCITE
ÉCLAIRAGE : HALOGÈNE DE COULEUR
475 X 480 CM

PHOTO : ROLAND GRANDMONT

« JOLIANE » QUE LA TERRE TE SOIT LÉGÈRE 1975

BRONZE
47 x 30 x 22 CM

Photo : Jean-Pierre Denvoye

Je me souviens 1989

Bronze

PHOTO : INGE HALLIGER

TORSO 1993

QUEEN STONE
46 X 20 X 15 CM

Photo : Bozena Happach

Kaytek 1991

Plâtre armé patiné
51 x 20 x 15 cm

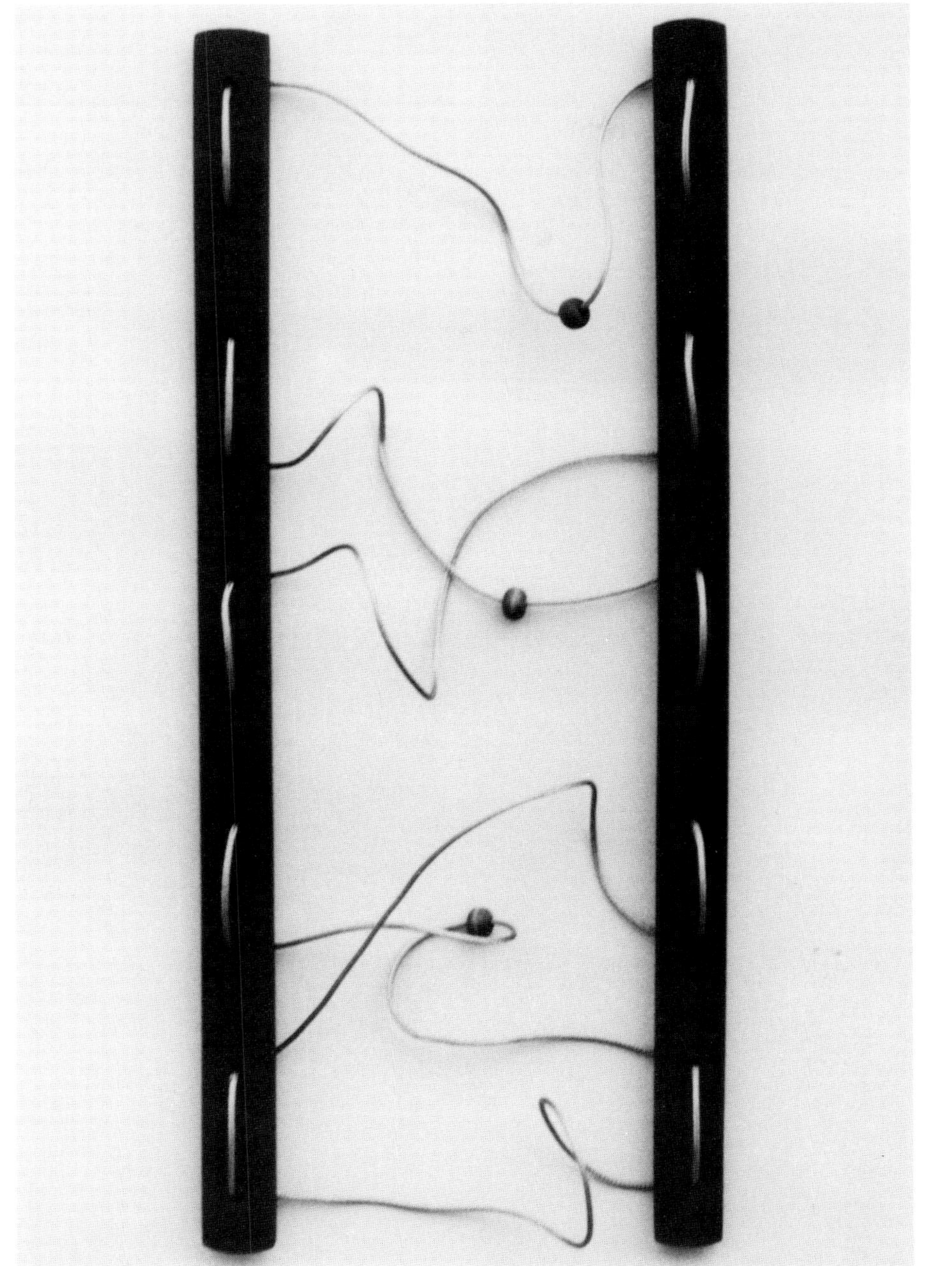

PHOTO : DANIELLE HARRISON

INTERMÈDE 1994

BOIS, FIL HÉLICOÏDAL
90 x 38 x 16 CM

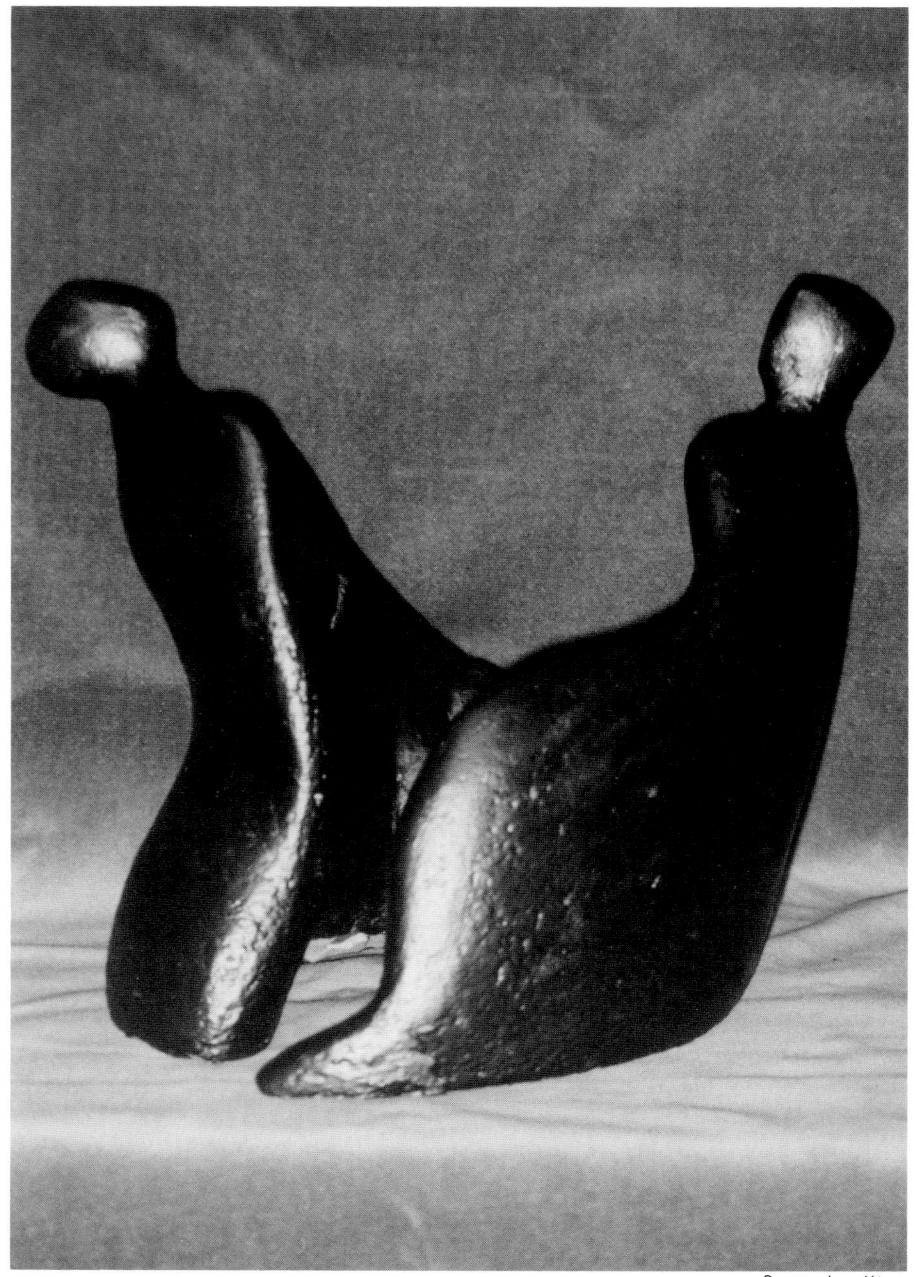

Photo : Lyse Hébert

Extase 1992

Terre

21 x 25 x 23 cm

PHOTO : MARIE-CLAIRE HÉBRARD

L'AIGLE ARTHUR 1993

MARBRE BLANC DE GRÈCE,
BASE MARBRÉ CHINÉ DU VERMONT
53 x 53 CM

Suite lacustre (installation, détail) 1990

Papier moulé, charbon, patine, aluminium

150 cm

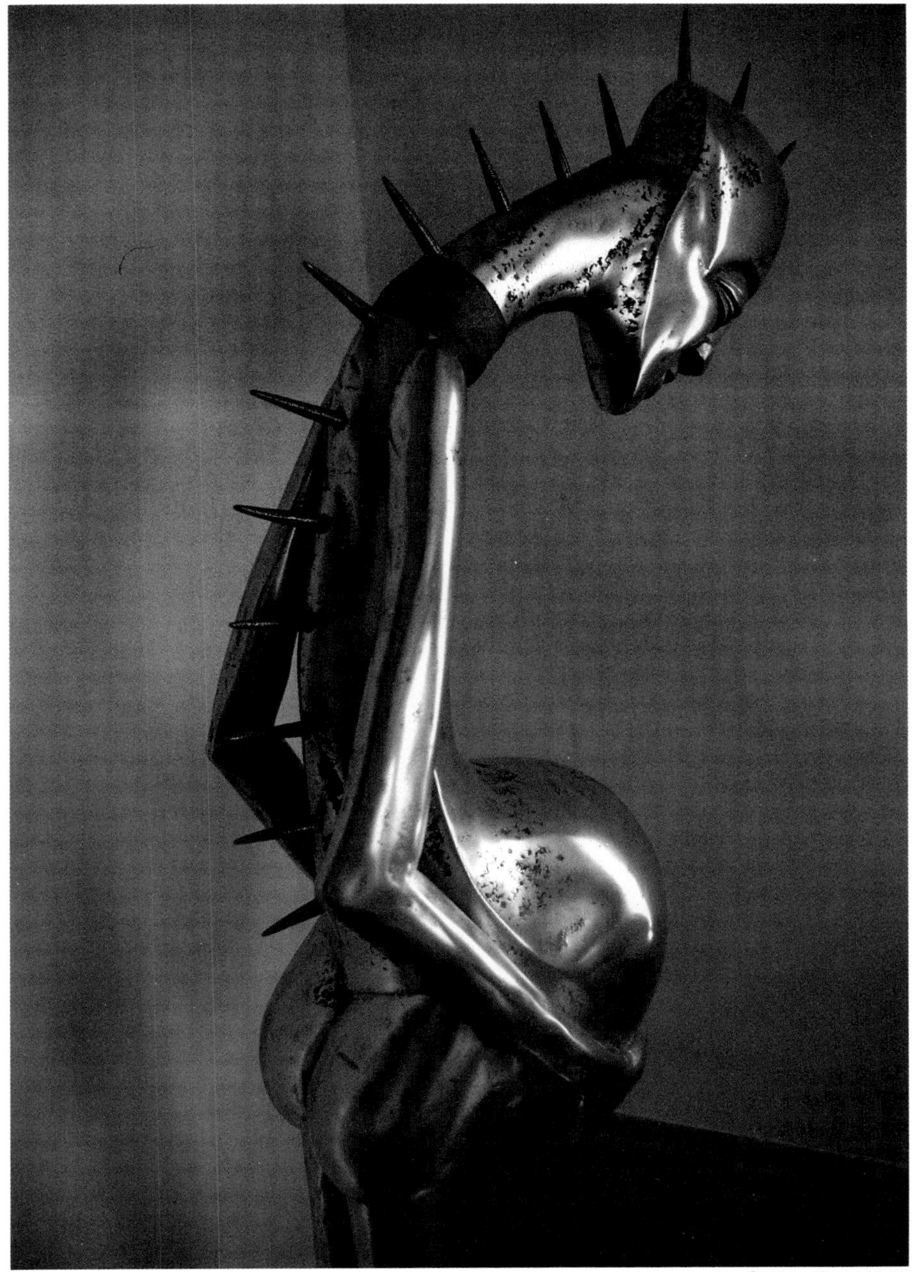

PHOTO : NICOLE HOULE

L'ÉGONOSAURE 1989

ALUMINIUM FONDERIE
166 CM

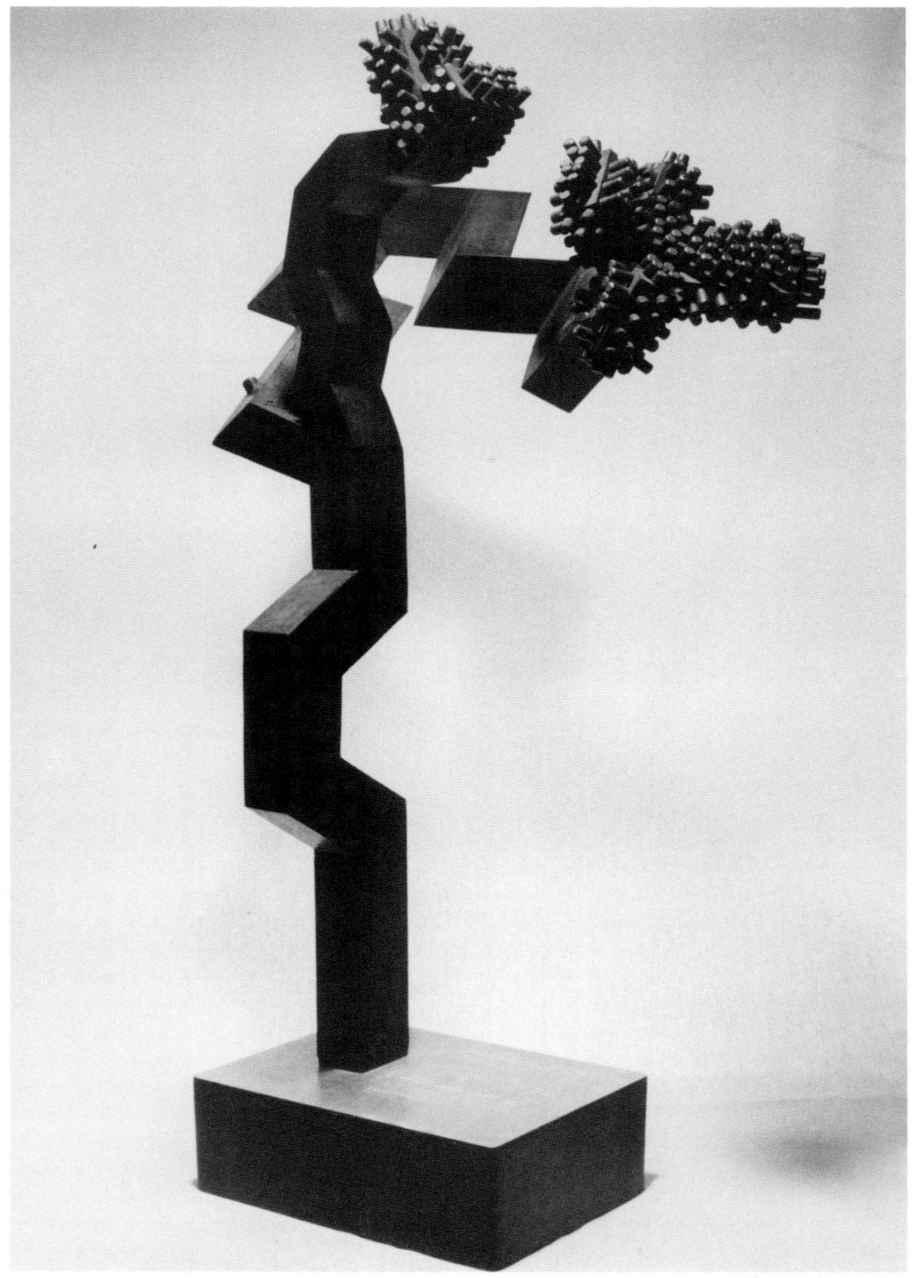

PHOTO : JACQUES HUET

VÉGÉTATION RYTHMIQUE 1990

BOIS

132 x 71 x 46 CM

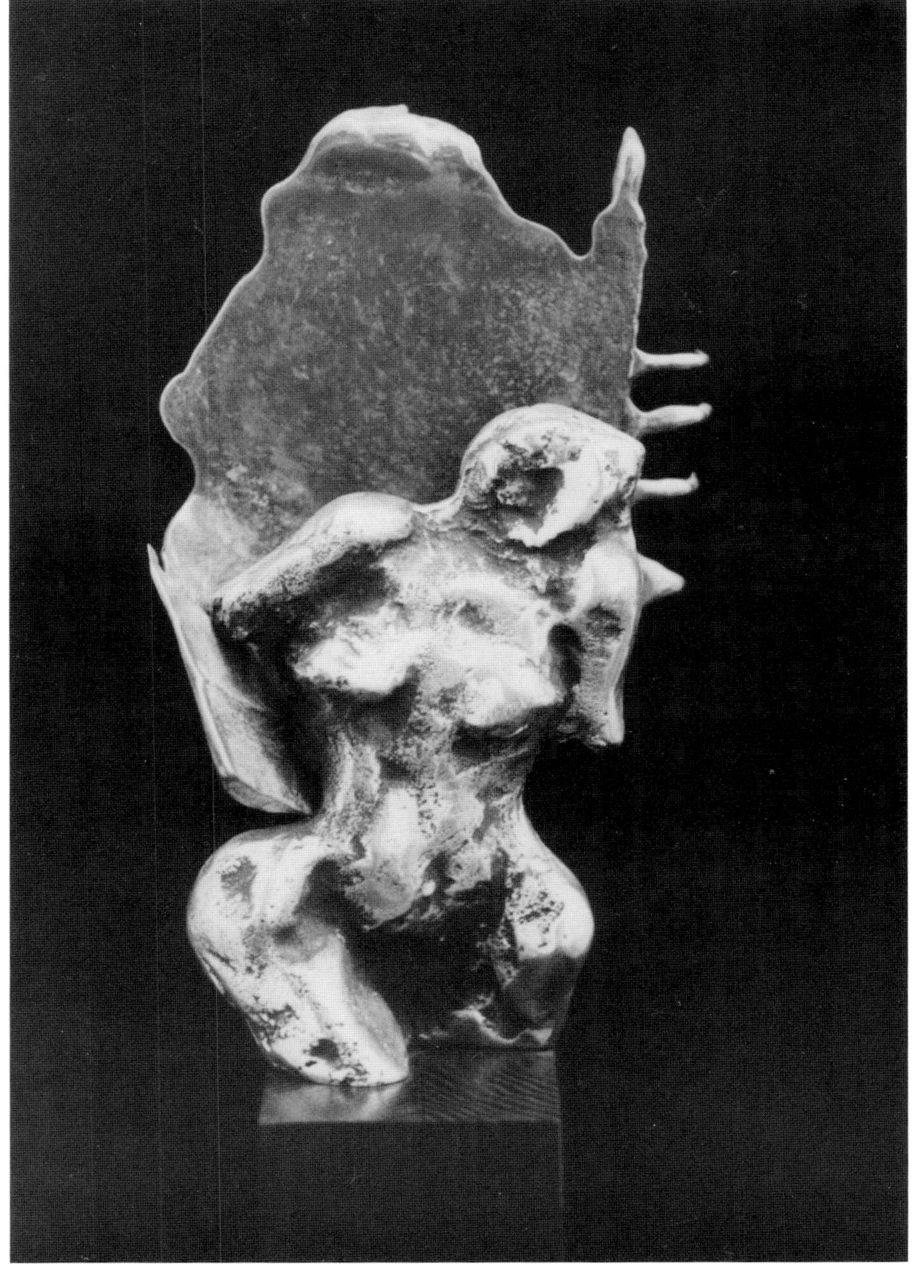

PHOTO : ELIZABETH JELEN

FEMME AU FARDEAU 1993

IVOIRE, ALUMINIUM, GRANITE
40 CM

Photo : Gaston-Pierre Julien

Torso allongé 1991

Fibre de verre
152 x 152 x 81 cm

PHOTO : TOMUS

MANIFESTATION 1992

BRONZE, RÉSINE
244 CM

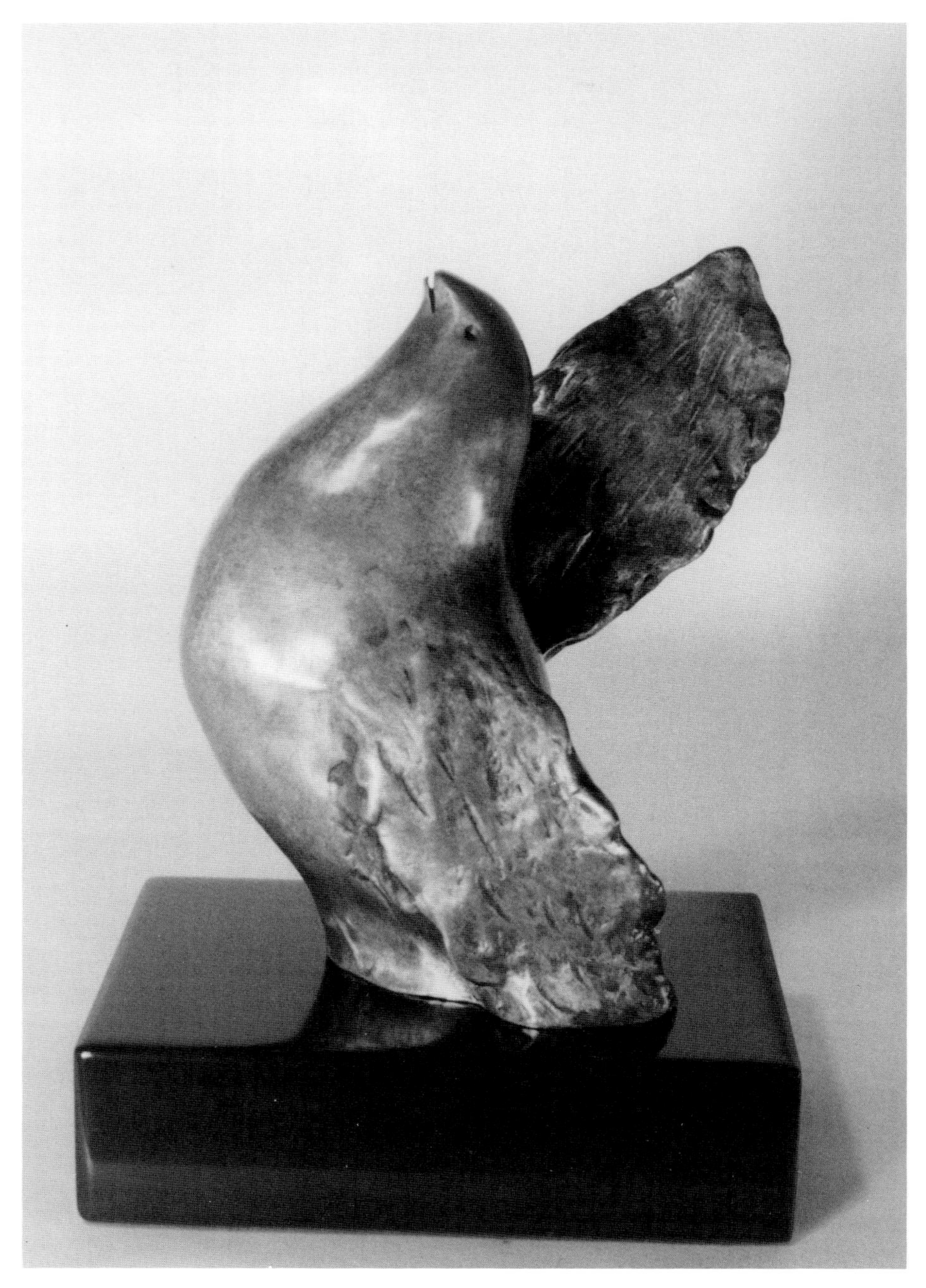

The Broken Wing I / IV

Bronze
Base: marbre noir de Belgique
12 x 17 x 5 cm

Photo : M. Kilbertus

Plongeur 1991

Marbre
Base: marbre noir
48 x 41 cm

PHOTO : LOUISE-SOLANGES LACASSE

LA MÉMOIRE TROUÉE 1993

PAPIER, CARTON, SABLE, DIAPOSITIVES
76 x 76 x 56 CM

Photo : Claude Lapierre

Mémorial (Mur) 1992-93

Cables d'acier, bidons de plastique
(d'eau de source et d'antigel)
200 x 500 cm

PHOTO : ROGER LANGEVIN

LES PÊCHEURS 1990

BÉTON ARMÉ

2,5 X 15 M

Photo : Roger Lapalme

Renaissance énergétique
(Œuvre d'intégration à l'architecture) 1993
Verre, cuivre, béton
488 cm de diamètre

PHOTO : MILAN LAPKA

INAMOVIBILITA 1993

GRÈS MÉTALISÉ, PIERRE
160 x 200 CM

Photo : Céline Lapointe

Le secret de famille 1993

Bronze, granite, cire perdue
48 x 18 x 15 cm

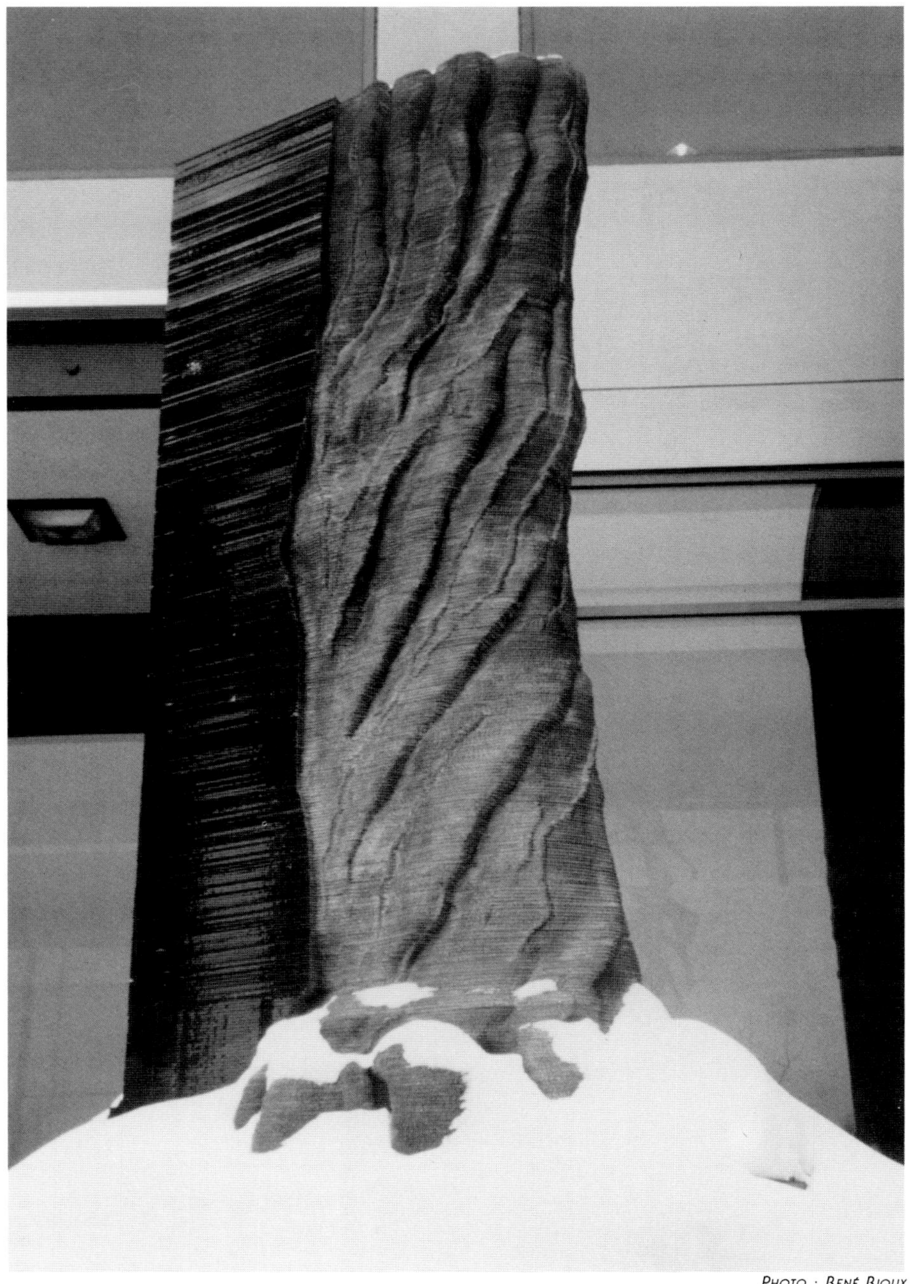

PHOTO : RENÉ RIOUX

...COMME NOS RACINES... 1989-90

VERRE ET GRANITE
260 X 122 X 35 CM

Gilles Larivière

Photo : Gilles Larivière

Échange 1993

Bois, béton
157 x 117 x 32 cm

PHOTO : JULES LASALLE

INITIATION 1993

BÉTON GRIS, CIMENT FONDU
380 x 275 x 180 CM

PHOTO : MICHEL DUBREUIL

LIBERTÉ 1992

BRONZE, RÉSINE
20 x 20 x 40 CM

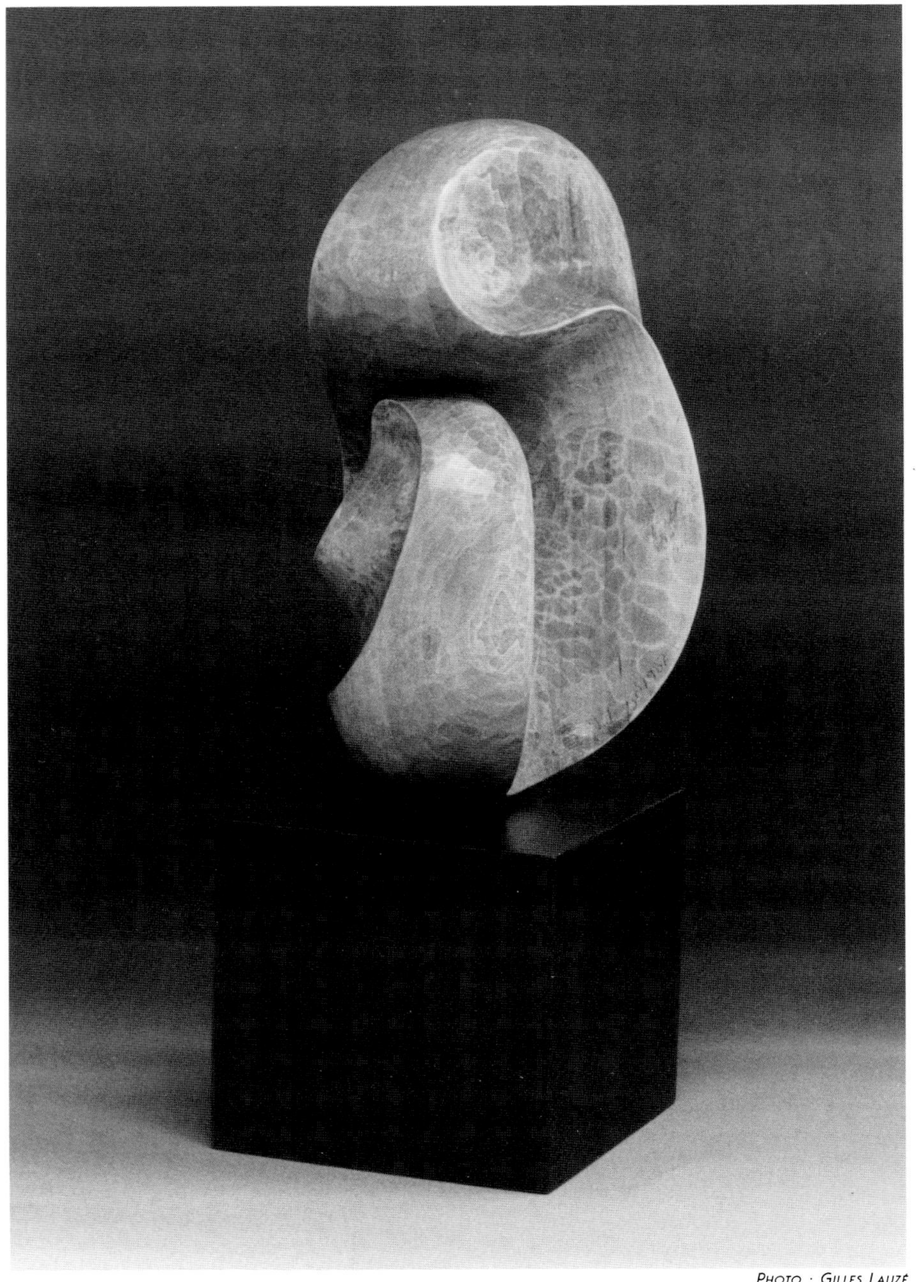

PHOTO : GILLES LAUZÉ

MÉDITATION 1990

TILLEUL
51 x 25 x 15 CM

Photo : Michel Lebœuf

Sans titre 1992

Ciment, pierre
91 x 61 cm

PHOTO : DENIS LECLERC

ROUE DE FORTUNE 1994

ACIER, PLOMB, CUIVRE
82 x 64 x 50 CM

PHOTO : PIERRE MERCIER

GRÉGORIEN 1988

PIERRE DE SAINT-MARC
36 x 23 x 11,5 CM

PHOTO : JEAN LESPÉRANCE

SANS TITRE 1993

TILLEUL
96 X 33 CM

PHOTO : RÉAL LÉVEILLÉ

BIO-CONTINUO N°6 : ARBRE 1994

BOIS, MÉTAL, PLEXIGLASS
274 x 182 x 182 CM

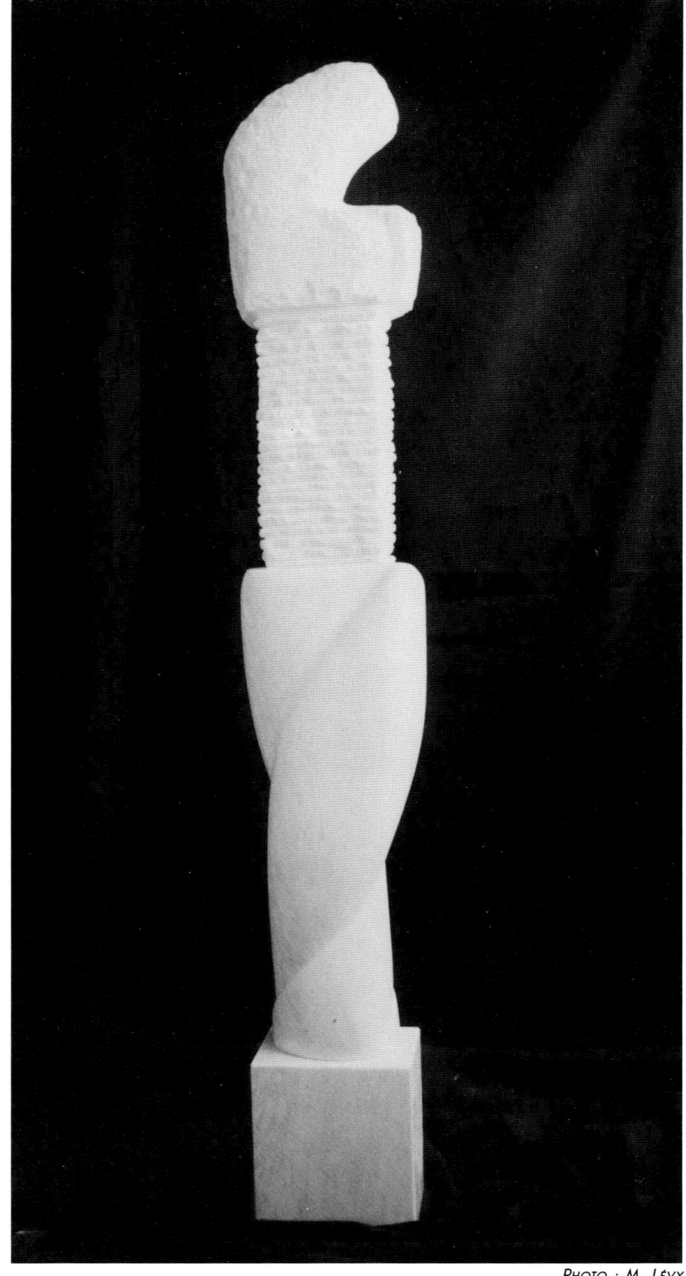

PHOTO : M. LÉVY

MÉMOIRES SPIRITUELLES 1993

MARBRE BLANC
152 CM

Photo : Richard Lorain

Eurydice 1993

Bronze

50 x 46 x 28 cm

PHOTO : ADRIENNE LUCE

L'ANCRE ET LE PLANCTON 1994
PIERRES DE CUEILLETTE, MÉTAL, BOIS, BÉTON

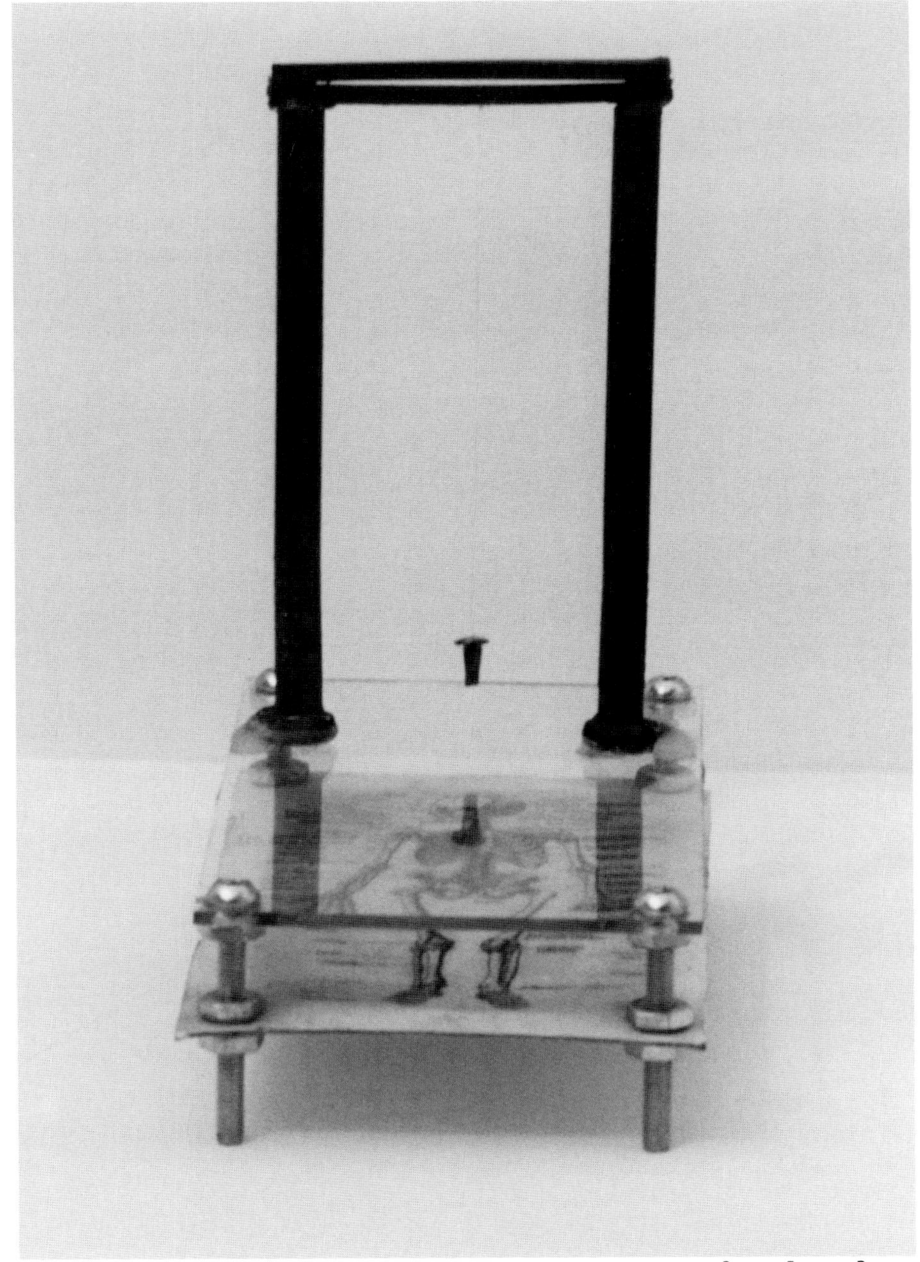

PHOTO : FRANÇOIS DUFRESNE

TABULA N° 3 1994
VERRE, ACIER, CIRE, PHOTOCOPIE
7 X 14 X 14 CM

Photo : Marc Martel

La Goutte d'eau 1979

Béton

609 x 152 cm

Photo : Jean Martin

Sablier 1994

Métal, verre
152 x 102 x 102 cm

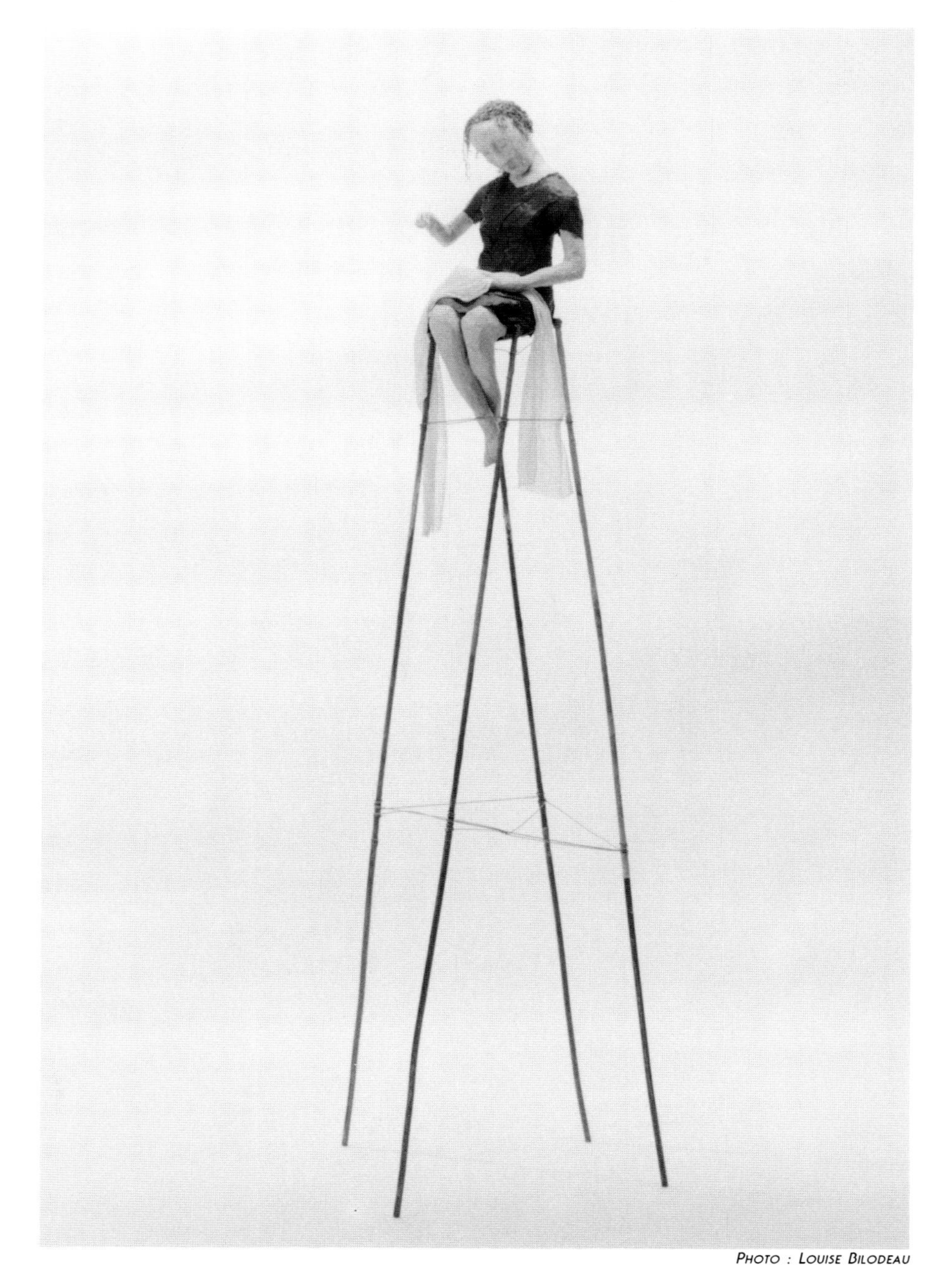

PHOTO : LOUISE BILODEAU

ANNA 1994

PAPIER, BOIS, CUIVRE
41 X 41 CM

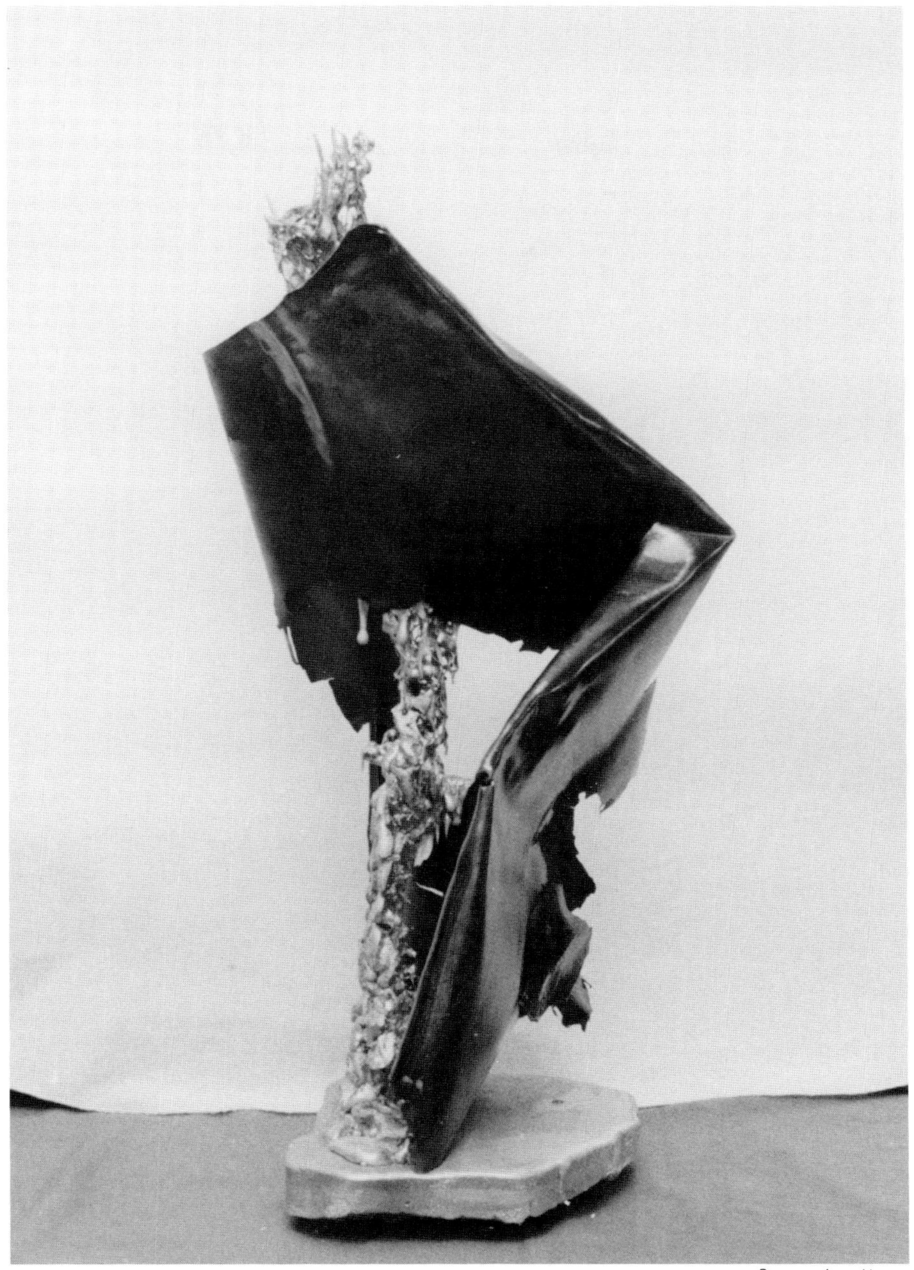

PHOTO : JEAN MASSEY

INITIATION 1989

ACIER INOXYDABLE, FONTE D'ALUMINIUM
72 x 36 x 28 CM

PHOTO : GENEVIÈVE MERCURE

ESPACE COHÉSION 1994

BOIS, TISSU, PEINTURE
75 X 70 X 7 CM

PHOTO : LES STUDIOS FRANÇOIS LARIVIÈRE

LA QUITTANCE 1994

ACIER SOUDÉ
281 x 120 x 110 CM

INSTALLATIONS CONTINUES N° 21 1986

TUBES D'ACRYLIQUE, FIBRES SYNTHÉTIQUES,
PAPIER, RUBAN ENTOILÉ, DÉBRIS D'ALUMINIUM
390 x 122 x 575 CM

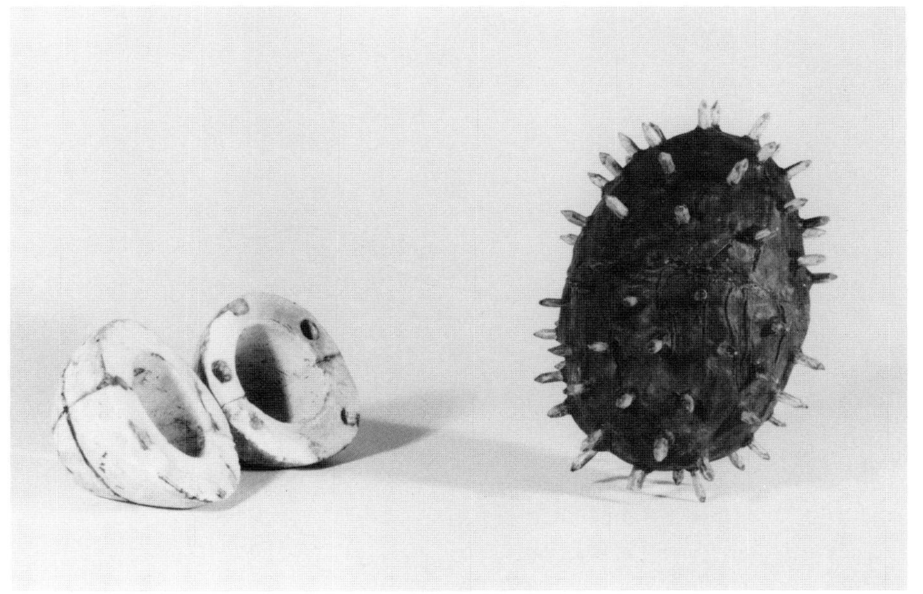

PHOTO : JOSÉE LAMBERT

L'UN VIENT DE L'AUTRE 1993

PLÂTRE, CIRE, COTON, FIBRE DE VERRE
38 x 16,5 x 24 CM

PHOTO : JOËLLE MOROSOLI

NON-LIEU 1993

TUILES DE VINYLE, GATORFOAM, MÉCANIQUE, MOTEUR
400 x 400 x 300 CM

PHOTO : GUY NADEAU

GERBE FRONTIÈRE 1991

ACIER, LAITON, BOIS
100 x 300 x 200 CM

PHOTO : NICOLE NADEAU

MONTAGNE / ARCHITECTURE II 1991

CÉRAMIQUE, FAÏENCE, PLASTIQUE, ACRYLIQUE

Robert Nepveu

Photo : Robert Nepveu

Passage photonique 7 1994

Granite, bronze

30 x 36 x 28 cm

Photo : Octavian Olariu

Modulaire Infinité 1991

Acier inoxydable
400 x 250 x 250 cm

PHOTO : LOUISE PAGE

PETITS PAS 1994
CONTREPLAQUÉ, ACRYLIQUE

PHOTO : LUIS PANIAGUA

TOTEM 1993

ACIER CORTEN

366 X 61 X 61 CM

PHOTO : ROGER PAQUIN

PYRAMIDOUBLE 1983

ACIER PEINT, ACIER INOXYDABLE FINI MIROIR
86 X 46 X 44 CM

PHOTO : GILLES PAYETTE

LES NUN'S 1993

VERRE COULÉ

35 X 61 CM

PHOTO : DARRELL PETIT

CONTINGENT 1992

GRANITE

366 x 244 x 183 CM

PHOTO : PAUL MCCARTHY

TAKE THE RISK 1993

BRONZE PATINÉ, GRANITE
73 x 55 CM

PHOTO : SERGE PHÉNIX

DON QUICHOTTE 1990

ACIER SOUDÉ

51 x 38 CM

PHOTO : WILFRID INC.

L'OISEAU SERPENTAIRE 1988

PIN, PLASTIQUE
109 x 102 x 8 CM

Photo : Gilbert Poissant

La Mesure du Temps 1994

Mosaïque de porcelaine
12 x 2,5 m

Francine Potvin

Photo : Paul Litherland

Fragments de l'anatomie de paysage intérieur 1993

Céramique, matériaux divers

48 x 137 x 145 cm

Sylvain Potvin

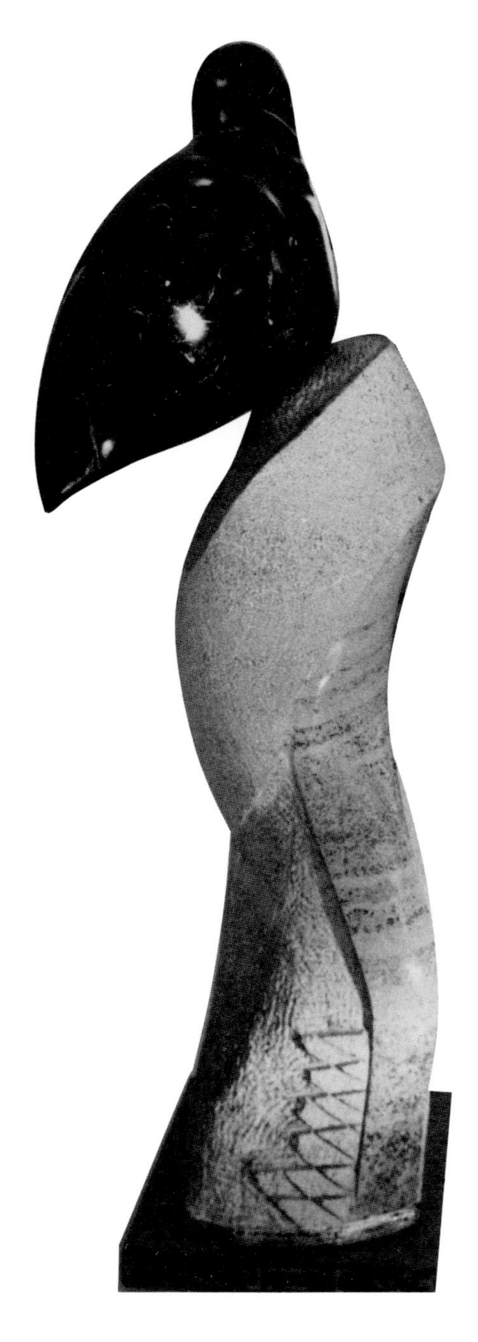

Photo : Josée Blondin-Doucet

Pose sur l'asymptote 1993

Marbre, granite
108 x 35 x 35 cm

PHOTO : J. BERNIER

ON NE COMPREND PAS AUSSI BIEN QU'ON VOUDRAIT LE CROIRE 1990

CIMENT FONDU, ACIER, CONTREPLAQUÉ
206 X 266 X 366 CM

PHOTO : JOE OLIVEIRA

DEUX-TRANSPARENCES : LE VERRE ET UNE « TRANCHE » 1990

VERRE, DIVERS MATÉRIAUX
213 CM

Carol Proulx

Carol Proulx

Dualité virtuelle (réalité virtuelle) 1994

Métal, miroir

Échelle humaine

PHOTO : HÉLÈNE RAYMOND AMYOT

LULLABY 1994

TECHNIQUES MIXTES
28 x 21 x 36 CM

PHOTO : AUGUSTA RICHARD

LA FAMILLE 1981

RÉSINE, FEUILLES DE PLEXIGLASS
47 x 42 x 32 CM

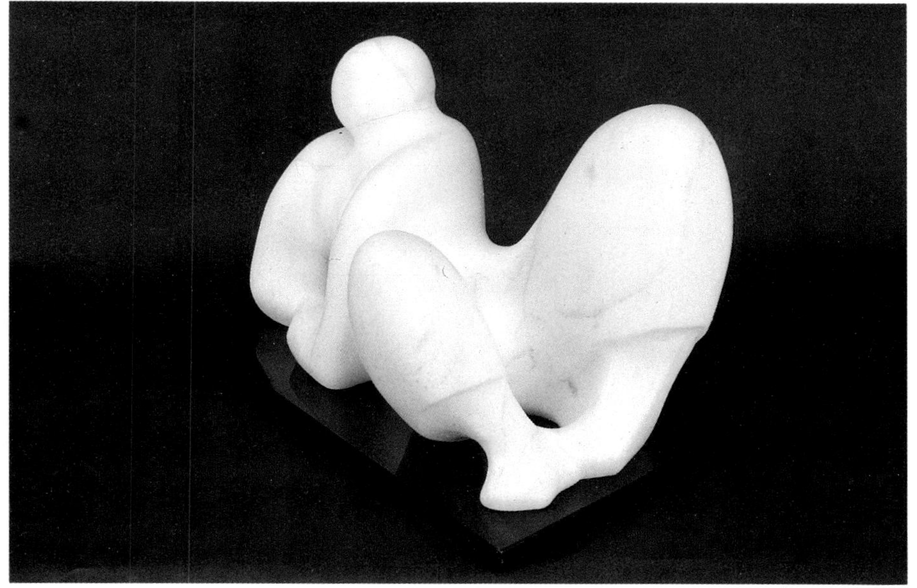

PHOTO : KILBERTUS

SYMPHONIE FANTASTIQUE 1987
MARBRE DE CARRARE
28 X 23 X 4 CM

Photo : Valérie Scott

L'appel 1990

Bronze, pierre

115 x 36 x 8 cm

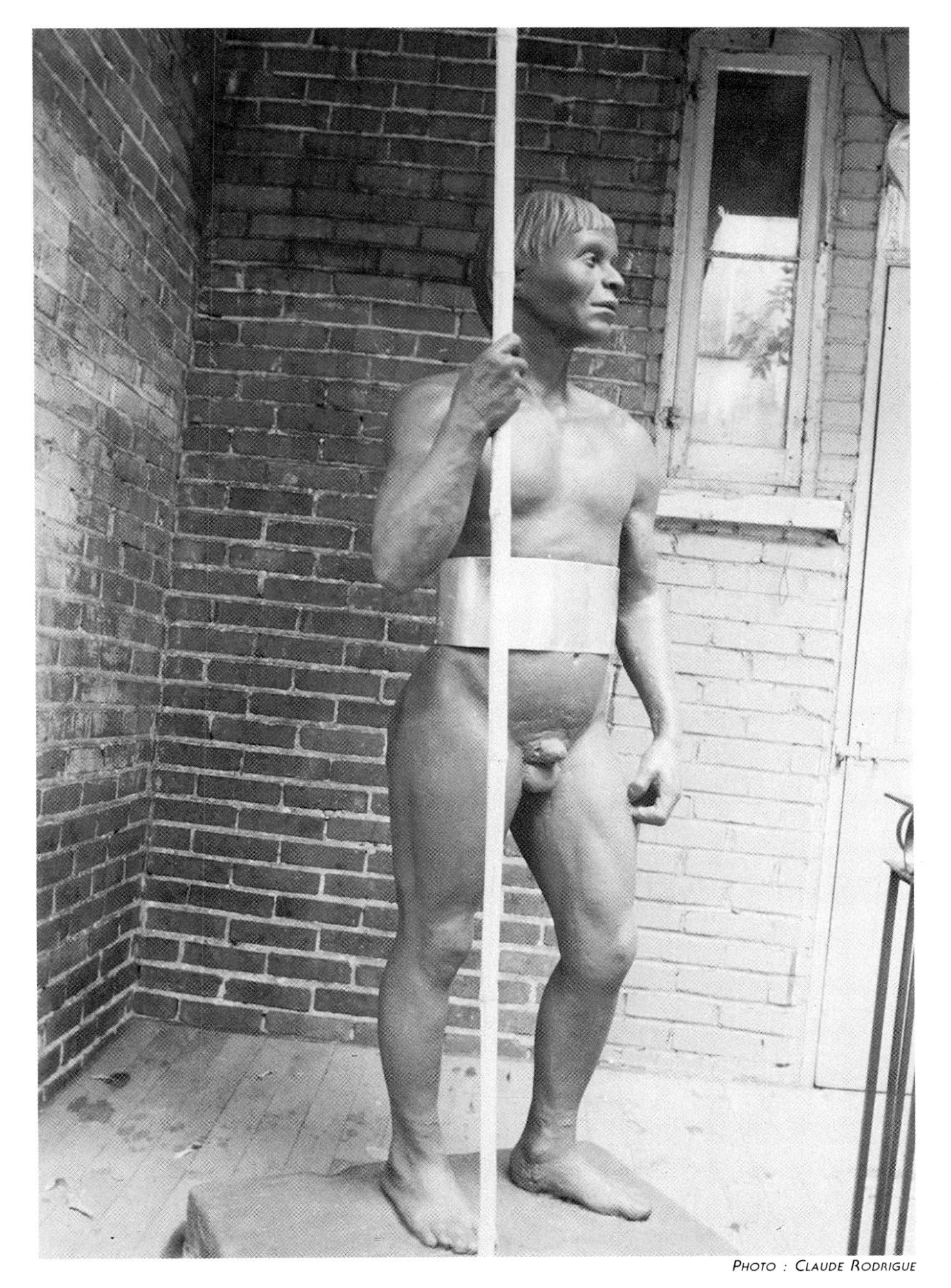

Photo : Claude Rodrigue

El Dorado 1991
Polyfilla, mousse de polystyrène
183 cm

PHOTO : MICHEL DUBREUIL

DAIM EN CASSEROLLE POUR UN DÎNER AUX CHANDELLES 1994

CUIVRE, ACIER, PATTES ET PEAU DE DAIM

91 x 102 x 51 CM

Photo : Clermont Ouellette

Alliance 1982

Bronze

24 x 23 cm

PHOTO : JOCELYNE HUARD

FRAGMENT 1987

BRONZE

19 X 44 CM

Gay Rowland

Photo : Jean Bernier

La construction d'un temple 1991

Bois, carton

Boîte fermée : 41 x 41 x 41 cm Boîte ouverte : 122 x 122 x 122 cm

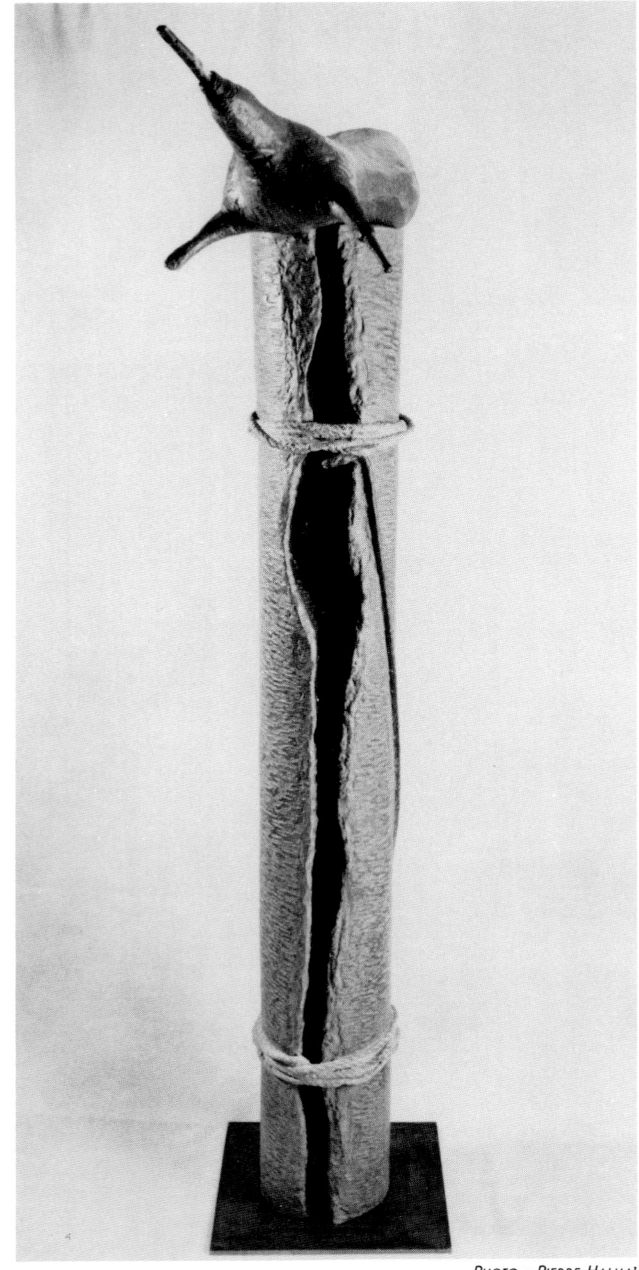

PHOTO : PIERRE HALMAI

LE PARADIS PERDU OU LE PREMIER EXIL 1991

FIBRE DE VERRE
221 X 80 X 45 CM

Jean et Robert Rutka

Photo : Jean et Robert Rutka

Vol brisé / Broken Flight 1992

Bois, métal, mylar
610 x 146 x 460 cm

Photo : Michel Dubreuil

Les Promeneurs 1990

Acier et peinture émail rouge
518 x 122 x 61 cm, 488 x 110 x 61 cm, 457 x 91 x 61 cm

PHOTO : HÉLÈNE SARRAZIN

LE TEMPS PASSE 1990

LATTES DE BOIS D'ÉPINETTE
132 x 119 x 82 CM

Louise Saulnier

Photo : Louise Saulnier

À un fil 1990

Marbre, cuivre

274 x 91 x 91 cm

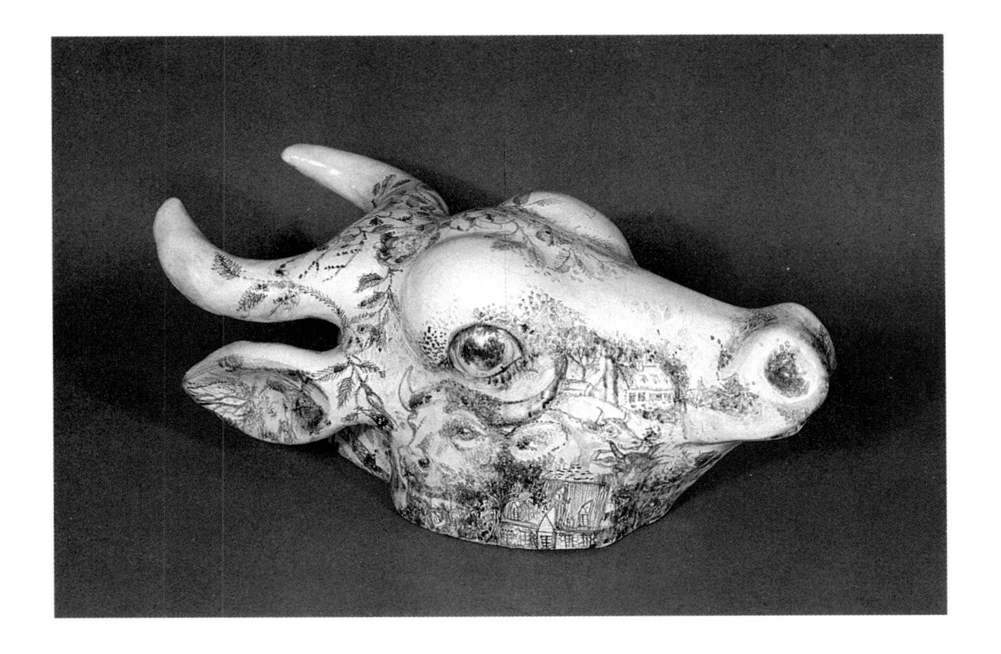

SANS TITRE

CÉRAMIQUE
30 x 40 CM

PHOTO : ROBERT VÉZINA

IVRESSE 1985

BRONZE
22 X 29 X 1 CM

PHOTO : JOS B.

CONTRASTE 1990

BRONZE, MARBRE NOIR DE BELGIQUE
20 X 20 X 10 CM

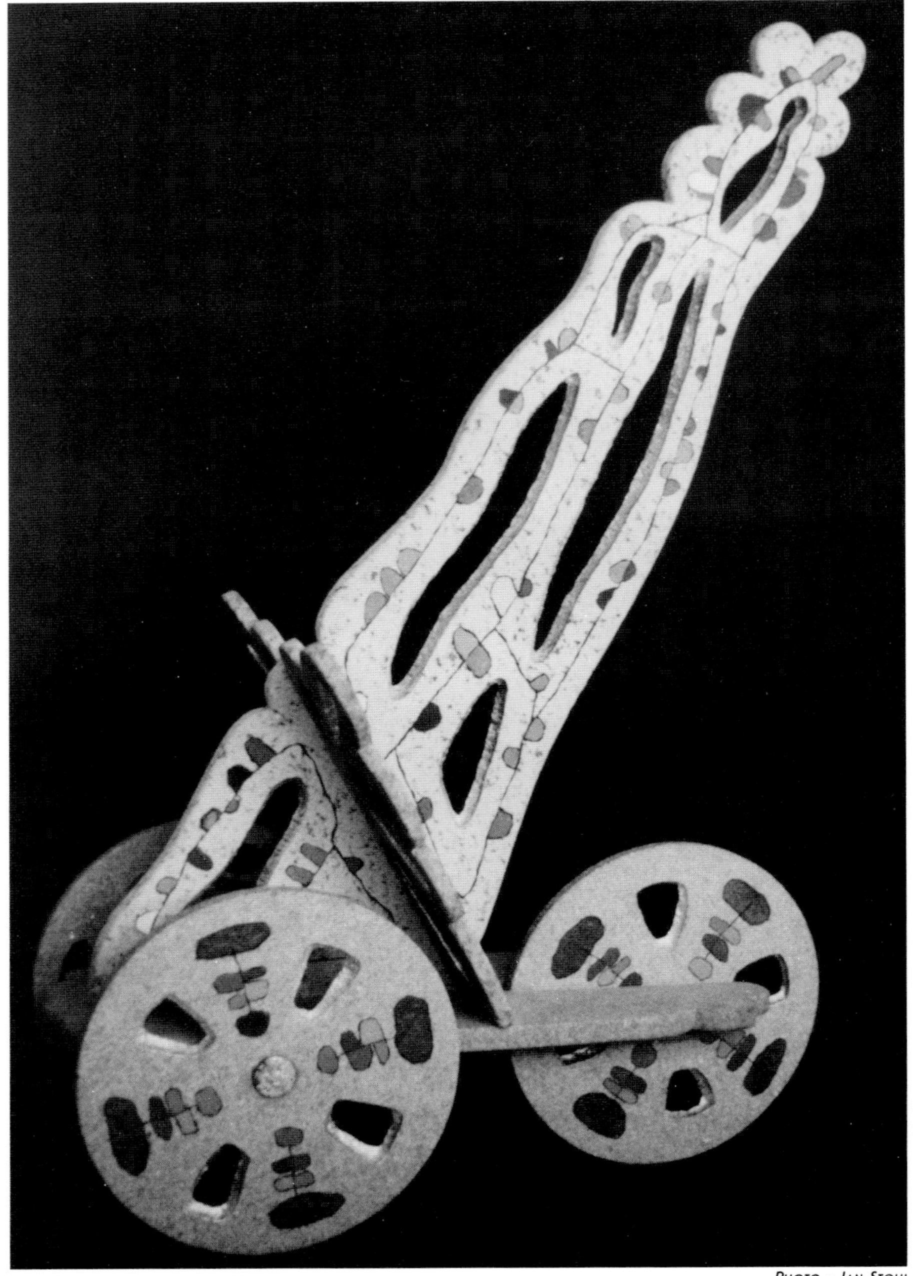

PHOTO : JAN STOHL

FÉCONDATRICE 1993

GRANIT, ACRYLIQUE, OR
147 CM

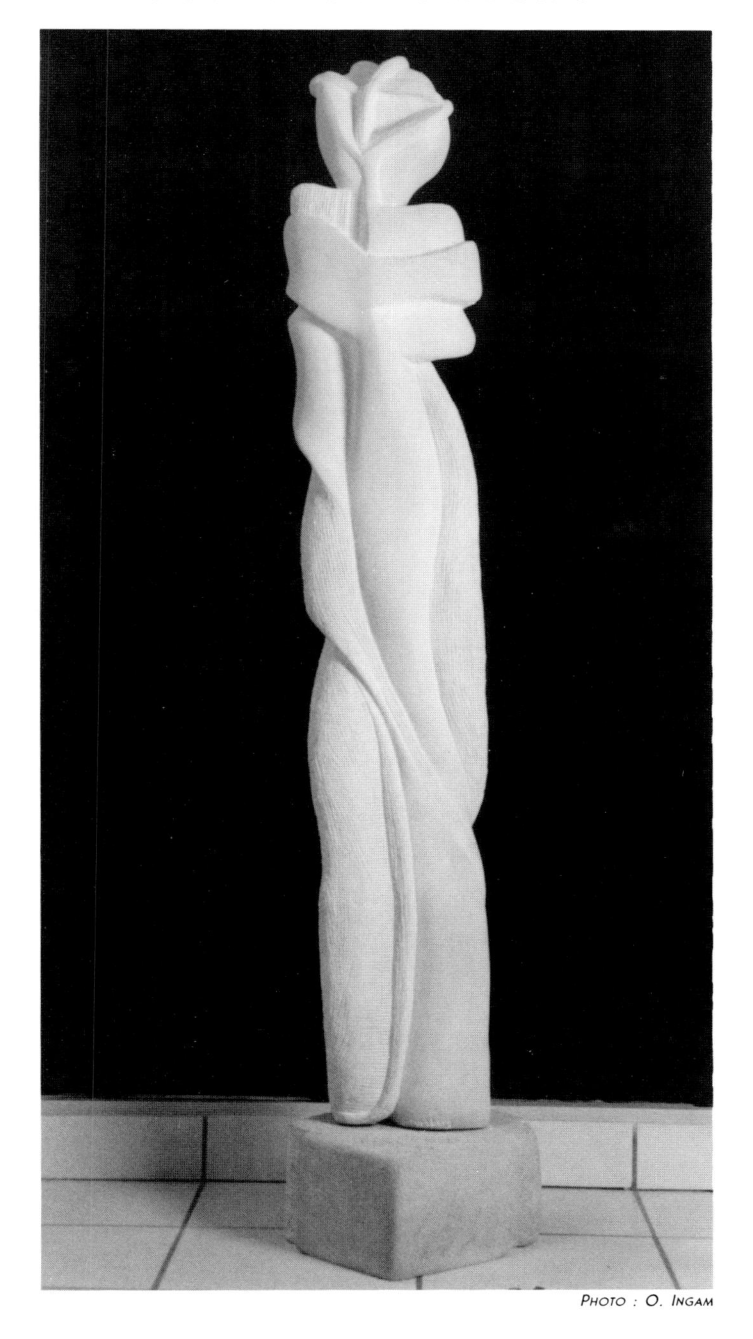

Photo : O. Ingam

L' Autodidacte : Artiste devenue arbre

Pierre Indiana
183 x 25 x 20 cm

Arctic Forms 1983-84

Aluminium

86 x 345 cm

PHOTO : ALAIN DANCAUSE SRT

LE PRINTEMPS A LES MAINS LIÉES 1992

BRONZE PATINÉ, SOCLE DE GRANIT

47 CM

PHOTO : PIERRE TESSIER

CARAÏBES 1992

ACIER

300 CM

PHOTO : DANIELLE THIBEAULT

HYMNE À LA VIE 1993

ACIER CORTEN PEINT
365 x 320 x 210 CM

Photo : Robert Pierre Venne

Your Breath on my Face 1994

Métal, bois peint, miroir
244 x 122 x 25 cm

PHOTO : PHOTOLAB, JOLIETTE

MUTATION 1992

CIMENT PORTLAND BLANC, SOCLE DE CIMENT GRIS
259 x 139 x 56 CM

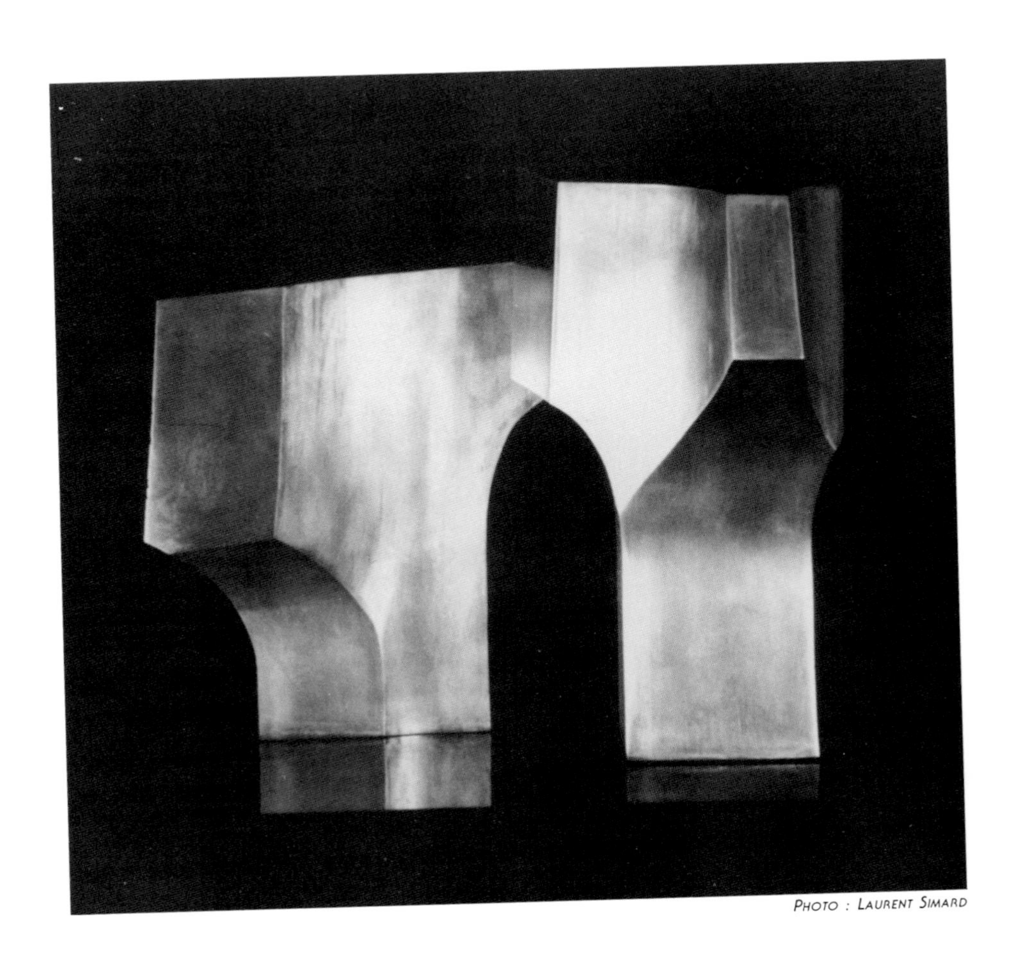

PHOTO : LAURENT SIMARD

PARVIS + PORTAIL N° 3 1988

BRONZE, SOCLE DE GRANITE NOIR
25 x 30 CM

MYTHE DE LA TOISON D'OR

PIN, TEINTURE, FEUILLE D'OR, PEINTURE
76 x 60 x 21 CM

Photo : Guy L'Heureux

Compartiment spatial 1983-90

Bronze

51 x 36 x 18 cm

Photo : Michel Dubreuil

La Louve 1994

Acier, pierre calcaire, photographies,
3 entonnoirs, sable
Banc : 102 x 130 x 46 cm Théâtre : 61 x 46 x 46 cm

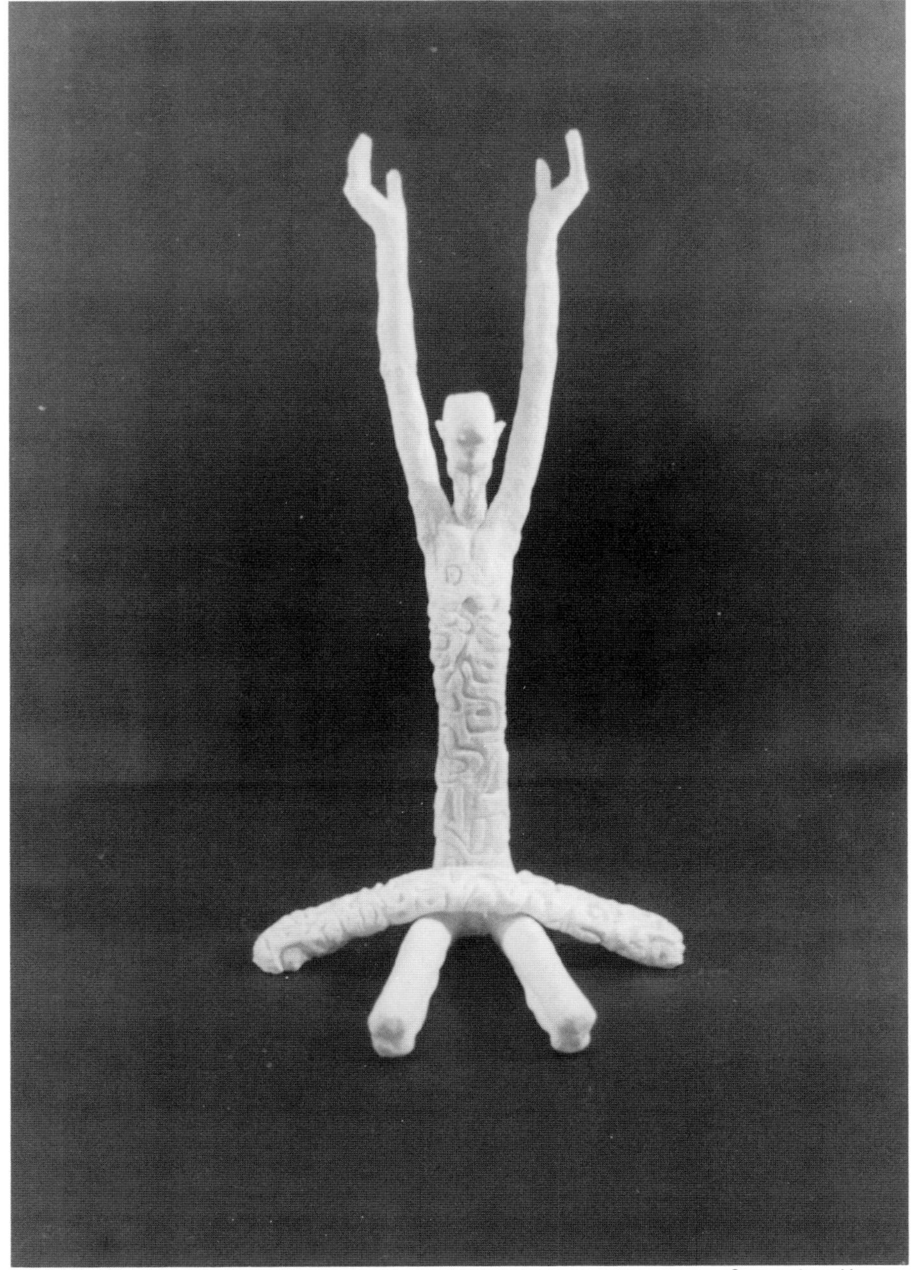

PHOTO : ALAIN VASSOYAN

LE SACRIFICE 1993

TERRE CUITE
42 x 25 CM

PHOTO : ALAIN GIGUÈRE

PAR DELÀ LA VERTICALITÉ (1-2-3) 1994

ALUMINIUM
160 x 19 x 16 cm

PHOTO : PATRICK VIALLET

SOURCE, PAROLES, RITUEL 1992

PIERRE VOLCANIQUE, EAU, ACIER
193 x 152 x 152 CM

PHOTO : GILLES DUCHESNAU

CATHÉDRALE 1993

BOIS PATINÉ, SOCLE DE MARBRE NOIR
45 CM

PHOTO : P. CIMON

THÉ GLACÉ 1994

ARGILE CUITE, PÂTE DE VERRE, BOIS
33 x 65 x 27 CM

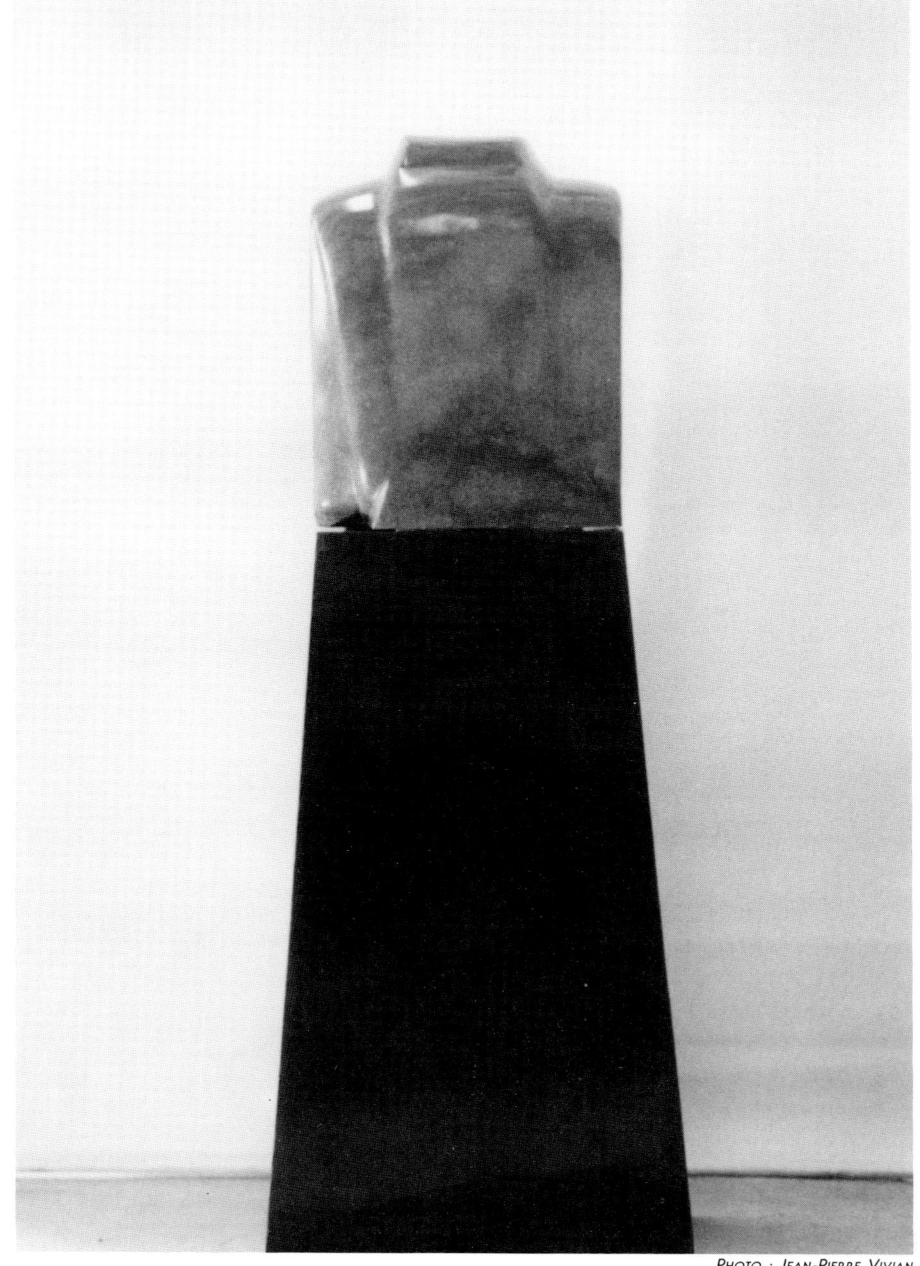

Photo : Jean-Pierre Vivian

L'Oiseau de Nuit 1993

Acier, pierre calcaire, pierre de Saint-Marc
130 x 45 x 40 cm

PHOTO : MICHEL DUBREUIL

BATEAU À VENT 1990

ALUMINIUM, ACIER GALVANISÉ
LONGUEUR DU BATEAU : 183 CM HAUTEUR : 762 CM
DÉPLOIEMENT DES AILES : 183 CM DE DIAMÈTRE

SIAMESE CAT

ALBÂTRE GREC
38 x 28 CM

Photo : Susanne Woodhouse

Reach 1986

Métal ouvré
396 x 122 x 213 cm

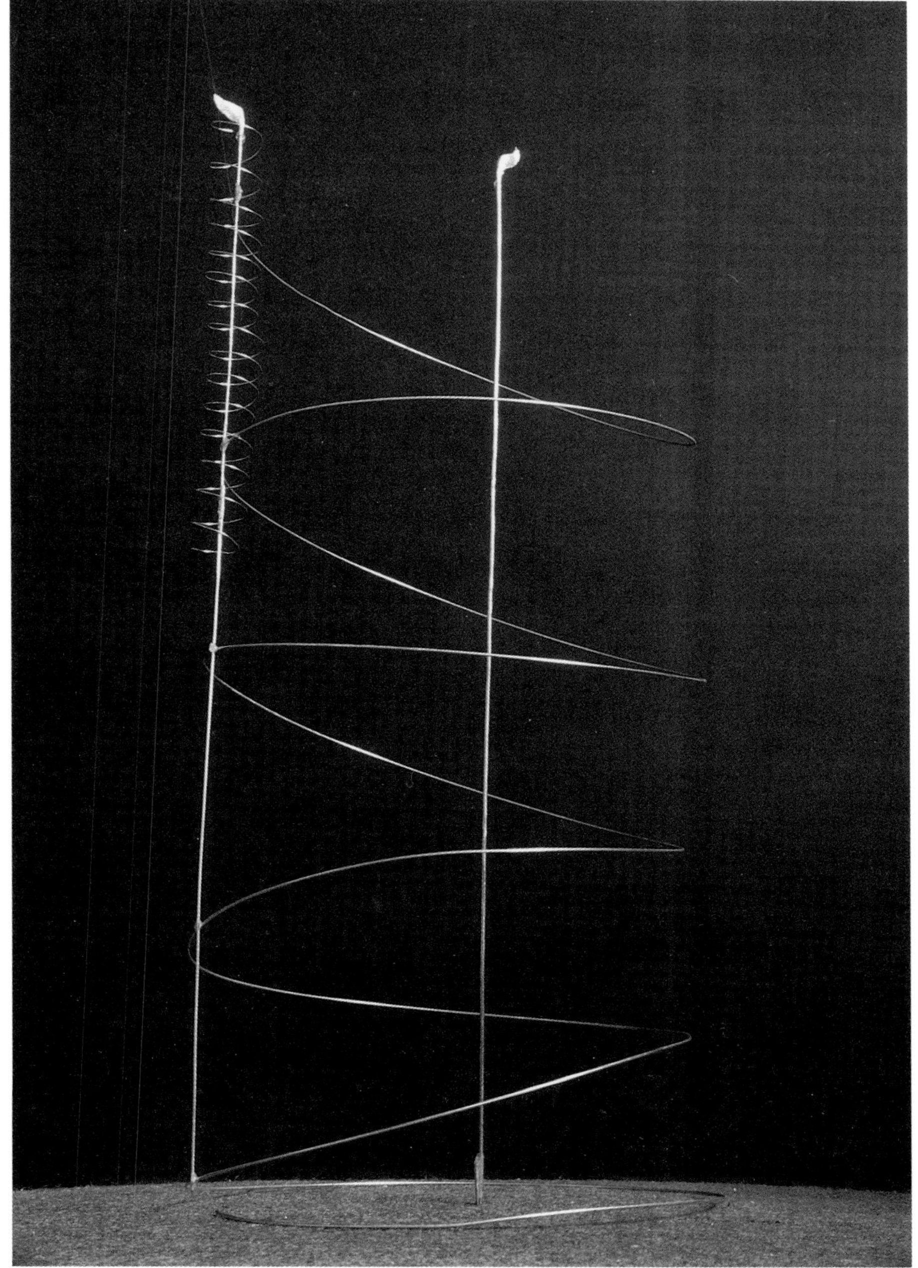

PHOTO : KUN LUN ZHANG

2 WINGS OF THE THINGS DEVELOPMENT-SELFCENTRIC & COMMONCENTRIC 1994
ALUMINIUM, BRONZE, TIGES MÉTALLIQUES

Diane Boudreault
3739, rue Indiana
Rock-Forest (Québec)
J1N 2Y3
(819) 564-3068

Doris Bouffard
929, Bélanger Est
Montréal (Québec)
H2S 1G9
(514) 270-7209

Diana Boulay-Dubé
1340, 2e Concession
Grenville (Québec)
J0V 1J0
(819) 242-1684

André Boulet
848, Montée du Village
St-Joseph-du-Lac (Québec)
J0N 1M0
atelier : (514) 681-1836

Léopol Bourjoi
2930, Aubry, # 7
Montréal (Québec)
H1L 4G9
(514) 351-9602

Jean-Michel Bouthillette
2125, av. Industriel
Marieville (Québec)
J3M 1J5
(514) 460-2349

Luc Boyer
367, Iberville Ouest
Rouyn-Noranda (Québec)
J9X 6M2
(819) 797-1359
bur. : (819) 797-7101

Jacques Bradet
99, place Charles Lemoyne, # 1502
Longueuil (Québec)
J4K 2T2
(514) 677-2588

Gérald Brault
535, boul. d'Auteuil
Duvernay
Laval (Québec)
H7E 3H2
(514) 661-3972

Claire Brunet
23, Bellefair
Toronto (Ontario)
M4L 3T7
(416) 691-8498

André Bécot
499, St-Jean
Québec (Québec)
G1R 1P5
(418) 525-4711

Josée Cardin
539, de Lorimier
Montréal (Québec)
H2G 2P7
(514) 727-4038

Jacques Carpentier
2359, de Rouen
Montréal (Québec)
H2K 1M1
(514) 527-3920

Louise Caumartin
3195, Petit Rg Ste-Catherine
St-Cuthbert (Québec)
J0K 2C0
(514) 836-3641

Denis Cogné
1847, ch. Royale
St-Jean – Ile d'Orléans (Québec)
G0A 3W0
(418) 829-0988

Daniel Corbeil
172, Mgr Latulippe O. # 4
Rouyn-Noranda (Québec)
J9X 2X4
(819) 764-6009

Éric Coulong
930, av. du Palais, B.P. 489
St-Joseph-de-Beauce (Québec)
G0S 2V0
(418) 397-4609

Jim Couture
509, R.R. # 8
Lamorandière (Québec)
J0Y 1S0
(819) 734-6390
atelier : (819) 754-5454

Daniel Côté
4219, St-Antoine
Montréal (Québec)
H4C 1C3
(514) 934-6223

Françoise Côté-Frico
12, Marie-Rollet
Lévis (Québec)
G6V 5P9
(418) 838-0793

Richard Daniel
5260, 2e Av. # 5
Montréal (Québec)
H1Y 2Y1
(514) 526-7546

Robert Daoust
60, rue Doucet
Hull (Québec)
J8Y 5P1
(819) 777-9341

Sylvia Daoust
505, boul. Gouin, #651
Montréal (Québec)
H3L 3T2
(514) 745-5237

Charles Daudelin
17166, ch. Ste-Marie
Kirkland (Québec)
H9J 2K9
(514) 695-2681

Suzanne David
4462, rue Cartier
Montréal (Québec)
H2H 1W5
(514) 529-0050
Atelier : (514) 523-0188

Yevkiné de Gréef
132, av. Cornwall
Ville Mont-Royal (Québec)
H3P 1M8
(514) 733-1062
atelier : (514) 739-5651

George Deligeorges
2194, Oxford
Notre-Dame-de-Grâce
(Québec) H4A 2X8
(514) 486-6276

Tatiana Démidoff-Séguin
4432, St-André
Montréal (Québec)
H2J 2Z4
(514) 597-1268

Germain Desbiens
582, ch. St-Thomas
Chicoutimi (Québec)
G7H 2R1
(418) 549-6765

Jacques Després
6291, de Châteaubriand
Montréal (Québec)
H2S 2N5
(514) 276-7701

Pierre Desrosiers
1925, de Luçon
Duvernay (Québec)
H7G 1N9
(514) 495-7767

Armand Destroismaisons-Picard
571, Val des Monts
St-Adolphe-D'Howard
(Québec) J0T 2B0
(819) 327-2564

Antonio Di Guglielmo
11711, Clément Ader
Montréal (Québec)
H1E 3Y5
(514) 648-4830

Violette Dionne
861, Rockland
Outremont (Québec)
H2V 2Z8
(514) 271-8855

Michel Drapeau
243, 12e Av. Est
La Sarre (Québec)
J9Z 3H4
(819) 333-6888

Bruno S. Dufour
463, ch. Boileau
St-Rémi-d'Amherst (Québec)
J0T 2L0
(819) 687-2440

Pierre-M. Dupras
4151, 3e Av.
Laval Ouest (Québec)
H7R 2Y4
(514) 962-2006

Daniel Dutil
2928, Latraverse
Jonquière (Québec)
G7S 2L8
(418) 548-7048

Georges Dyens
5982, rue Durocher
Outremont (Québec)
H2V 3Y4
(514) 278-4593

Carole Décary
947, Nicole Lemaire
Boucherville (Québec)
J4B 3G6
(514) 655-3833

Joan Esar
115, ch. Côte Ste-Catherine, # 308
Outremont (Québec)
H2V 4R3
(514) 271-2697
atelier : (514) 523-0188
Sans illustration au répertoire

Armel-André Essiembre
1897, Amherst
Montréal (Québec)
H2L 3L7
(514) 521-6397
atelier : (514) 845-4928

Suzanne Ferland
772, des Mille Iles Est
Ste-Thérèse (Québec)
J7E 4A5
(514) 430-7038

Normand Forget
1144, rg 5
Ste-Julienne (Québec)
J0K 2T0
(514) 222-1932

Luc Forget
4710, St-Ambroise, # 002D
Montréal (Québec)
H4C 2C7
(514) 939-1360

Claude Fortin
930, rg Papineau
Abbostford (Québec)
J0E 1A0
(514) 379-5395

André Fournelle
3981, rue St-Laurent, # 625
Montréal (Québec)
H2W 1Y5
(514) 848-6221

Hannah Franklin
85, av. Holton
Montréal (Québec)
H3Y 2G1
(514) 937-1412
(514) 844-8388

Marc Gadbois
470, rue Green
St-Lambert (Québec)
J4R 1V1
(514) 769-6910

Aristide Gagnon
3188, Milleret
Ste-Foy (Québec)
G1X 1N7
(418) 653-5451

Roger Gaudreau
540, ch. de la Gabelle
St-Étienne-des-Grès (Québec)
G0X 2P0
(819) 535-9843

Jeanne d'Arc Gauthier
3600, Bélanger Est
Montréal (Québec)
H1X 1B1
(514) 721-4979
atelier : (514) 388-1112

Yves Gendreau
1127, 5e rg
Roxton Pond (Québec)
J0E 1Z0
(514) 378-5372'1

Gérard Gendron
2289, Cunégonde
Montréal (Québec)
H3J 2X1
(514) 938-4846

Marc-André Gendron
570, ch. Val-des-Lacs
Val-des-Lacs (Québec)
J0T 2P0
(819) 326-1759

Molly Gersho
3210, Forest Hill, # 1708
Montréal (Québec)
H3V 1C7
(514) 739-4262
atelier : (514) 276-1264

Françoise Girard
3471, Carré de Nevers
Ste-Foy (Québec)
G1X 2C9
(418) 656-1856

Agathe Girard (Kennedy)
663, des Perdrix
Chicoutimi (Québec)
G7H 6Y4
(418) 693-8101

Roland Grandmont
52, Val d'Ajol
Lorraine (Québec)
J6Z 3Z4
(514) 621-8236

Céline Grenier
4816, Palm
Montréal (Québec)
H4C 1Y2
(514) 937-1932

Inge Halliger
4692, Jeanne-Mance
Montréal (Québec)
H2V 4J4
(514) 286-9024

Bozéna Happach
1470, St-Jacques, # 7
Montréal (Québec)
H3C 4J4
(514) 932-4215

Danielle Harrison
580, av. Caravane
Charlesbourg (Québec)
G2L 1Y7
(418) 623-1487
bur. : (418) 646-7235

Nicole Houle
1026, Front Nord
Clarenceville (Québec)
J0J 1B0
(514) 294-2444

Jacques Huet
4570, de Mentana
Montréal (Québec)
H2J 3B8
(514) 521-7807

Lyse Hébert
221, rue Darwin Rive
Verdun (Québec)
H3E 1C7
(514) 768-3016

Marie-Claire Hébrard
3691, Henri-Julien
Montréal (Québec)
H2X 3H4
(514) 288-7577

Michelle Héon
International des Arts
Studio 1703N
18, rue de l'Hôtel-de-Ville
PARIS 75004

Élisabeth Jelen
326, Duluth Est
Montréal (Québec)
H2W 1H9
(514) 844-5777

Gaston-Pierre Julien
C.P. 193
Repentigny (Québec)
J6A 5J1
(514) 581-7158
atelier : 581-2253

Tarik Kadim
2950, Somerset
St-Laurent (Québec)
H4K 1R5
(514) 856-1957

Alex Kirschenbaum
1117, Ste-Catherine Ouest, # 116
Montréal (Québec)
H3B 1H9
(514) 739-9455
atelier : (514) 288-0332

Barbara Kuper
852, Berwick Crescent
Ville Mont-Royal (Québec)
H3R 2K9
(514) 737-9595

Louise-Solanges Lacasse
3070, ch. Royale
St-Jean, Île d'Orléans (Québec)
G0A 3W0
(418) 829-1204

Marie-Josée Laframboise
2158, Montgomery
Montréal (Québec)
H2K 2R8
(514) 597-1053

Roger Langevin
21, 4e rg Est
St-Anaclet (Québec)
G0K 1H0

Roger Lapalme
C.P. 632, Succ. Bureau chef
Granby (Québec)
J2G 8W7
(514) 372-6614

Éva Lapka
3496, Montclair
Montréal (Québec)
H4B 2J2
(514) 482-6391

André Lapointe
Faculté des Arts
Université de Moncton
Moncton (N.B.)
E1A 3E9
(506) 854-0420
atelier : (506) 858-4375
sans illustration au répertoire

Michèle Lapointe
6649, Drolet
Montréal (Québec)
H2S 2S9
(514) 279-3964

Céline G. Lapointe
1339, de Callières
Québec (Québec)
G1S 2B8
(418) 683-9760

Gilles Larivière
2360, des Merisiers
Fleurimont (Québec)
J1G 4E9
(819) 821-4783

Jules Lasalle
6629-A, Jeanne-Mance
Montréal (Québec)
H2V 4L1
(514) 948-2377

Francine Laurin
255, Georges VI, R.R. 32
Terrebonne (Québec)
J6Y 1P1
(514) 621-8628

Gilles Lauzé
2350, ch. Picard
Ste-Agathe-des-Monts
(Québec) J8C 2Z8
(819) 326-4243
atelier : (819) 326-7852

Michel Leboeuf
24, 3e Av. Est
La Sarre (Québec)
J9Z 1H4
(814) 333-2651

Denis Leclerc
12182, Taylor
Montréal (Québec)
H3M 2J9
(514) 745-9003
atelier : (514) 362-2037

Denis Lefebvre
28, Langevin
Boisbriand (Québec)
J7E 4H5
(514) 433-9991

Jean Lespérance
571, Townshend
St-Lambert (Québec)
J4R 1M4
(514) 672-1485

Pearl Levy
3555, Côte-des-Neiges,
#1801
Montréal (Québec)
H3H 1V2
(514) 937-6067

Catherine Lorain
956, Place de Ronchamps,
C.P. 899
St-Adèle (Québec)
J0R 1L0
(819) 229-3697

Adrienne Luce
40, Route 132, C.P. 331
Port-Daniel (Québec)
G0C 2N0
(418) 396-5614

Réal Léveillé
3650, Ste-Famille, # 2
Montréal (Québec)
H2X 2L4
(514) 844-5717

Christine Marcotte
21, de Verdun
Hull (Québec)
J8X 1G3
(819) 595-5106

Marc Martel
425, Bel Air
Charlesbourg (Québec)
G1G 2W7
(418) 626-0501

Jean Martin
3511 Benny
Notre-Dame-de-Grâce
(Québec) H4B 2S1
(514) 487-5155

Aline Martineau
358, St-Olivier
Québec (Québec)
G1R 1G5
(418) 522-1772
atelier : (418) 641-0797

Jean Massey
122, ch. Viens
St-Alphonse (Québec)
J0E 2A0
(514) 375-7998
atelier : 375-2637

Geneviève Mercure
70, Val-des-Lacs
Val-des-Lacs (Québec)
J0T 2P0
(819) 326-1759

Claude Millette
867, rg 4
St-Bernard-de-Michauville
(Québec) J0H 1C0
(514) 792-3052

Pierrette Mondou
2455, Édouard Montpetit #1
Montréal (Québec)
H3T 1J5
(514) 735-0709

Dominique Morel
2577, Joliette
Montréal (Québec)
H1W 3H1
(514) 843-3275
atelier : (514) 844-3184

Joëlle Morosoli
3385, Geoffrion
St-Laurent (Québec)
H4K 2V1
(514) 337-3349

Guy Nadeau
5839, Cartier
Montréal (Québec)
H2G 2V1
(514) 276-8383

Nicole Nadeau
410, 6e Rue, #2
Québec Québec)
G1J 2S4
(418) 620-2986
atelier : (418) 524-1130

Robert Nepveu
1836, rg Lamoureux
Henryville (Québec)
J0J 1E0
(514) 299-2933

Octavian Olariu
7740, Wiseman
Montréal (Québec)
H3N 2N9
(514) 270-1845

Louise Page
1087, St-Régis
St-Isidore (Québec)
J0L 2A0
(514) 454-7455

Luis Paniagua
941, Labelle
St-Jovite (Québec)
J0T 2H0
(819) 425-7208

Roger Paquin
2020, Bélanger
Terrebonne (Québec)
J6X 2T6
(514) 471-9970

Gilles Payette
1017, Charles Garnier
Drummondville (Québec)
J2B 2H5
(819) 474-8167

Darrel Petit
Shinwaso, # 13
T 615 Kyotos-shi
Nishiokyo-ku Katsura
Khinomae-Cho 17-02
Japan
(203) 772-1846

Tino Petronzio
4530, Clark # 105
Montréal (Québec)
H2T 2T4
(514) 481-6092
atelier : (514) 844-3469

Serge Phénix
832, Hartland
Outremont (Québec)
H2V 2X8
(514) 731-0439

Claude Pilote
296, Rivière-du-Nord
St-Colomban (Québec)
J0R 1N0
(514) 431-6288

Gilbert Poissant
505, rue Viens
St-Hilaire (Québec)
J3G 4S6
(514) 446-5961

Francine Potvin
712, rue des Chevreuils
Farnham (Québec)
J2N 3C6
(514) 293-8235

Sylvain Potvin
19-B, Walker
Hull (Québec)
J8Y 4E7
(819) 595-1906

Robert Prenovault
3426, St-Denis
Montréal (Québec)
H2X 3L3
(514) 288-1927

Daniel-Jean Primeau
975, Haute-Rivière
Ste-Martine (Québec)
J0S 1V0
(514) 427-3243

Carol Proulx
4591, Chambord
Montréal (Québec)
H2J 3M8
(514) 597-2704

Hélène Raymond Amyot
193, Dubé
Châteauguay (Québec)
J6K 2P5
(514) 691-3404

Augusta Richard
1400, rue du Berger
Chambly (Québec)
J3L 4X6
(514) 658-3165

Francine Richman
23, Aldred Crescent
Montréal (Québec)
H3X 3H9
(514) 487-6471

Toussaint Riendeau
239, av. Lamontagne
Ste-Julie (Québec)
J0L 2S0
(514) 649-0763

Claude Rodrigue
4677, Resther
Montréal (Québec)
H2J 2V4
(514) 527-7010

Dominique Rolland
4247, St-Dominique
Montréal (Québec)
H2W 2A9
(514) 842-4300

André Ross
17, Ste-Thérèse
Lévis (Québec)
G6V 5K6
(418) 833-4391

Pauline Rouillard
2580, rue du Plaza, # 402
Sillery (Québec)
G1T 1X1
(418) 651-9272

Gay Rowland
C.P. 1223, Place du Parc
Montréal (Québec)
H2W 2P4
(514) 849-3983

Guerino Ruba
5505, rue d'Iberville, # 301
Montréal (Québec)
H2G 2B2
(514) 527-6309

Jean Rutka
586, ch. Devine
L'Ange-Gardien (Québec)
J8L 2W7
(819) 986-7764

Aurélio Sandonato
11850, St-Réal
Montréal (Québec)
H3M 2Y8
(514) 336-0965

Hélène Sarrazin
4690, des Érables
Montréal (Québec)
H2H 2C9
(514) 522-1990
atelier : (514) 845-0247

Louise Saulnier
4100, rue Carillon
Jonquière (Québec)
G8A 1R3
(418) 547-9601

Helena Shooner
4114, Hampton
Montréal (Québec)
H4A 2K9
(514) 489-7647

Jean-Gilles Simard
44A, Chabrier
Beauport (Québec)
G1B 2N5
(418) 666-1569

Pauline Spénard
Domaine des Hauts-Bois
16, Charles-de Longueuil
Ste-Julie (Québec)
J0L 2S0
(514) 649-5217

Jan Stohl
753, J.I. Brien
Mascouche (Québec)
J7K 2X4
(514) 669-7467

Suzan Stromberg
9, Severn
Montréal (Québec)
H3Y 2C6
(514) 932-0868

Roslyn Swartzman
4174, Oxford
Montréal (Québec)
H4A 2Y4
(514) 487-2016
atelier : (514) 487-1897

Nicole Taillon
2145, ch. du Lac, C.P. 102
North Hatley (Québec)
J0B 2C0
(819) 842-2347

Pierre Tessier
260, 10e rg
St-Pie-de-Guire (Québec)
J0G 1R0
(819) 784-2408

Danielle Thibeault
460,Ste-Catherine Ouest,
915
Montréal (Québec)
H3B 1A7
(514) 284-5692

Suzanne Tremblay
4739, rg St-Martin
Chicoutimi (Québec)
G7H 5A7
(418) 549-9632

Jocelyne Tremblay
2, rg Ste-Louise Est,
C.P. 52
St-Jean-de-Matha (Québec)
J0K 2S0
(514) 886-2177

Michèle Tremblay-Gillon
3526, av. Marcil
Montréal (Québec)
H4A 2Z3
(514) 481-9795

Yves Trudeau
5429, Durocher
Outremont (Québec)
H2V 3X9
(514) 276-8632

Ginette Trépanier
1320, 8e Rg
Ste-Mélanie (Québec)
J0K 3A0
(514) 883-6774
(514) 669-9742

Galin Tzonev
5783, rue Bocage
Montréal (Québec)
H4J 1A6
(514) 335-4198

Armand Vaillancourt
4211, Esplanade
Montréal (Québec)
H2W 1T1
(514) 843-3020

Dominique Valade
211, Florian
Rosemère (Québec)
J7A 2N4
(514) 434-0205

Alain Vassoyan
4505, Édouard-Montpetit
Montréal (Québec)
H3T 1L3
(514) 342-2889

Ghislaine Verville
449, Notre-Dame Ouest
Victoriaville (Québec)
G6P 1S7
(819) 752-4773

Patrick Viallet
1834, Sherbrooke Est
Montréal (Québec)
H2K 1B3
(514) 598-9672
travail : (514) 987-4299

Richard Viau
2494, Ste-Anne
Varennes (Québec)
J3X 1R7
(514) 652-7243

JoAnne Villeneuve
784, Saguenay Est
Chicoutimi (Québec)
G7H 1L3
(418) 545-0516

Jean-Pierre Vivian
5981, Chabot
Montréal (Québec)
H2G 2S9
(514) 277-7302
atelier : (514) 523-0188

Catherine Widgery
276, Old Orchard
Montréal (Québec)
H4A 3A8
(514) 484-8525
atelier : (514) 938-1124

Suzan Wohl
4312, rue Isabella
Montréal (Québec)
H3T 1N6
(514) 738-5108

Susanne Woodhouse
2070, de Maisonneuve
Ouest, # 127
Montréal (Québec)
H3H 1K8
(514) 937-4897

Kun Lun Zhang
4521, rue St-Jacques
Montréal (Québec)
H4C 1K3
(514) 989-2007